そこにいる人

矢口敦子

幻冬舎文庫

そこにいる人

直子は、秋に泣かされる。

広くもない庭に植えた柿や楓《かえで》の木から、枯れ葉がやむことなく落ちてくる。葉は庭にとどまらず、家の前の市道にまで降りそそぐ。木々から最後の一葉が落ちるまで、市道を掃き清めるのは直子の仕事だ。それは秋の終わりから冬にかけて数週間も続く。この一日に一回は必ずしなければならない秋の日課は、直子が小学校五年生の時から続いている。

落ち葉を一カ所に集めてビニール袋に詰めるのに、日によっては小一時間かかる。家の庭木だけでこんなになるわけはなく、東南の角に面した直子の家の前はどうやら風の吹き溜《だ》まりになっていて、隣近所の葉まで集まってくるらしい。これだけの時間があれば英単語の十や二十は覚えられるのに、と、受験生だったころの直子は恨めしかった。大学生になってからは、落ち葉の始末のために早起きをしなければならなかったり、友人とのおしゃべりを切り上げて帰宅を早めなければならない理不尽さに腹が立つ。落ち葉など、毎日律儀に掃かなくても、何日かに一ぺんまとめて片づければいいではないか。

しかし、母親は近所の目を気にする。うちの落ち葉が道路をずっと占拠していたら、近所から後ろ指をさされるというのが、母親の強迫観念になっている。直子はそんなことはありっこないと思うが、母親が信じこんでいるのだから仕方がない。直子がやらなければ、母親が忙しい時間をさいて自分の仕事とするのは目に見えている。だから、直子はやるしかない。

今日もいやいや市道を掃いていると、背中に視線を感じた。見上げると、北がわの窓があいて、幸恵《ゆきえ》が顔を出している。直子の働きぶりをずっと眺めていたらしい。

幸恵は、直子にむかって手をふる。小学生のような無邪気な動作だが、もう二十一歳で、一応直子の姉だ。

直子は一瞬、無視したいと思う。落ち葉の掃除という大事なお仕事の真っ最中なのだ。姉のような呑気《のんき》な見物人を相手にしている暇はない。

しかし、直子は手を挙げて小さくふりかえす。どんな時でも、姉を無視することはできない。それが、直子が生まれて以来十九年の間に身につけてしまった習性だ。

「窓あけていると、風冷たいでしょう」

手をふりかえすだけでは無愛想かもしれないと、言葉までかけてしまう。

「ううん、気持ちいい」

秋の風に吹き飛ばされてしまいそうなか弱い声だ。直子は姉の言葉を聞き取るために、家に近寄らなければならない。

幸恵は父親に似て、眉が太く目尻のきりっと上がった五月人形みたいな顔立ちだ。だが、肌が黄土色に濁っているせいで、りりしくも健康的にも見えない。一目で、体のどこかに問題を抱えていると分かってしまう。実際、幸恵は生後半年で肝臓に欠陥があると宣告されて以来、長い闘病生活を続けている。

「ね、その葉っぱ、集めて燃やすの」

「ビニールに詰めて、燃えないゴミの日に出すのよ」

「どうしてそんなもったいないことをするの。焚火《たきび》にして、そこで焼き芋をすると、楽しいのに」

「煙を出したら、ご近所に迷惑でしょう」

「迷惑？　葉っぱを燃やす煙が迷惑なのかなあ」

幸恵は心から不思議そうに言う。直子は小さく苦笑する。家庭でのゴミ焼却は以前から嫌われていたけれど、ダイオキシンの問題が出てからはいっそう風当たりが強くなっている。たとえ落ち葉を集めた焚火だって同じことだ。しかし姉は、世の中のそういった風潮に気づいていないようだ。家と病院を往復する日々を送っていると、こんなふうに無邪気でいられるのだろう。

「世間にはいろんな人がいるから」

「ふーん、そうなのかな。でもね、私がちっちゃいころに焚火をした記憶があるんだけど。お芋は焼かなかったけど、こーんなに大きな火をおこして、とってもあったかったよ。煙でちょっと咳《せ》きこんだけど」

「ちっちゃいころって、いくつくらいよ」

「そりゃ、うんとちっちゃいころよ。ナオちゃんの姿がそばになかったから、多分ナオちゃんはまだ歩けなかったのよ。だから、私が三つぐらいのころ」

「ふーん」

家の中の出来事で、直子の覚えていないことを幸恵が知っている。こういう時、直子は幸恵がやはり年上なのだということを思い知らされる。そうでもなければ、うっかり妹のつもりで接してしまう。

窓辺に、母親が姿を見せた。

「なにをしているの」

幸恵にむかって言う。竹ぼうきを手にしている直子には、目もくれない。

「駄目じゃないの、窓なんかあけちゃ。風が冷たいんだから」

言うなり、窓をしめる。決して叱《しか》りつける口調ではない。なだめさとす調子だ。それでも、窓辺から去る幸恵の顔は悲しげに歪《ゆが》んでいる。母親の許可を得ないで外を覗《のぞ》いていたらしい。

直子は同情半分やっかみ半分だ。高が窓をあけることさえ自由にならないのには同情するが、つねに母親の気遣いを受けていることにはやっかみを感じてしまう。なにしろ、こちらは友達とのおしゃべりも切り上げて家の用を足さなければならないのだ。姉は、生まれてこの方、食後のご飯茶碗を洗ったことさえないのではないだろうか。少なくとも、直子の記憶には家の手伝いをしている幸恵の姿はない。

大きな風が起こって、庭木からさらに葉を落とす。せっかく集めた落ち葉を四方に散らしていく。直子は口をへの字に曲げ、賽《さい》の河原の石積みのような作業に精を出した。

　大学生の生活には、イベントが多い。とくに十二月に入ると多い。そう、直子は知った。忘年会シーズンだし、クリスマスもある。その二つを中心に、コンパがいやというほど組まれる。昨年のいまごろは受験勉強一辺倒で、遊びなどとは無縁、クリスマスや正月のどこが楽しいんだ、という状態だったことを考えると、天国と地獄の差だ。落ち葉掃きがあろうがなにがあろうが、直子は心ゆくまで今年の年末を楽しむつもりでいた。

　いや、直子が心待ちにしていたのは、ただ一つ、英語サークルの忘年会だった。これだけは絶対にはずしたくなかった。K大学の英語会との合同コンパだからだ。

　K大の英語会との合同コンパは、入学したてのころにも行なわれた。そして、この時のことを思い出すと、直子の胸は妖《あや》しくときめく。K大の出席者の一人が原因だ。二年生の森下さん。下の名前は知らない。直子は森下さんと話す機会がなかった。周囲の人々の会話を聞いて、どうにか森下という苗字《みょうじ》を知ることができたのだ。それ以来七カ月余、我ながら純情だと思うのだが、ふたたび森下と会える機会をじっとおとなしく（だが、時たますっかり忘れて）待ちわびていたのだ。

森下は、目鼻立ちがくっきりと美しい。まるでジャニーズ事務所の一員みたいだ。当然、まわりの女性から大いにもてていた。直子は、まさか自分が美しい男を好きになるとは思っていなかった。熊のような男っぽい容貌が趣味だと思っていたし、高校生の時につきあっていた男の子はそんなタイプだった。人間は顔じゃないよ、心だよ、というボーイフレンドに共感していたのだ。自分の容貌に自信がなかったせいがなくもない。

もちろん、森下サンを好きになったのは、最近自分が魅力的になってきたとひそかに自負しているからではないつもりだ。しかし実のところ、いくらかそういう面があることは否めない。昔から白かった肌は年齢とともに真珠のような光沢を帯びるようになり、でっぱったおでこややや低い鼻といった、直子が欠点だと思っている部分をすっかりカバーしておつりがくるくらいになった。

英語サークルの合同コンパの日、直子は着ていくものに迷った。まだ大学は冬休みに入っておらず、今日は午後に一コマ授業がある。あまりお洒落《しゃれ》をしていって目立ちたくなかった。家と大学が近ければ帰宅して着替えることもできるが、電車を乗り継いで一時間の行程ではそうもいかない。

結局、白い肌に映えるピンクのセーターと、長すぎも短すぎもしない紺と赤のチェックのタイト・スカート、アクセサリーは金色のハート形のイアリングだけにした。それでも、家を出る時、母親の目をひいた。

「今日はずいぶんお洒落をしているのね」

「言ったでしょう。今晩、英語サークルの忘年会があるの」

「あまり遅くならないでね。幸恵の体調が悪いから」

そう言って、母親は咳きこむ。今日体調が悪いのは、幸恵よりも母親のほうだ。細身ながらタフを誇っている母親が珍しく風邪をひいて、熱っぽそうな目をしている。

直子の中に不安が動く。母親や姉の体を気遣ってのことではない。忘年会に出られない出来事が起こるのではないかという予感が胸をすぎたからだ。

こういう予感にとらえられるのは、理由のないことではない。直子は幼いころから、楽しみにしていたイベントを台無しにされた経験が何度もあるのだ。たとえば幼稚園の遠足、母親がついてきてくれるはずだったのに、幸恵が直前になって発熱し、結局、当時近所に住んでいたおばあちゃんと一緒に行った。たとえば小学校で主役を務めた学芸会、両親が見にきてくれるということで張り切って練習していたら、幸恵が入院することになって、だれも来なかった。一家そろって旅行に出かけた思い出にさえ、暗い陰はつきまとう。姉が旅館で体調を崩し、母親と幸恵は旅館にこもったまま、父親と直子の二人でおざなりな観光をした……数えあげたら切りがない。

今回だけは、この数えあげたら切りがない不運に見舞われたくなかった。たとえ母親の風邪が悪化して夕飯の支度ができなくなろうが、姉の容体が急変して入院しようが、耳をふさいで英語サークルの忘年会に出るのだ。直子はそう心に決めて、学校へ出かけた。

いつ携帯電話が鳴って家から呼び出しがかかるかと、びくびくしていた。しかし、携帯電話は大学にいる間ずっとおとなしくしていた。大学からコンパの会場に移動するまで時間があったので友人と一緒にウインドー・ショッピングをしていたが、その間も鳴らなかった。いよいよ会場である居酒屋に移動した。携帯電話はおし黙ったままである。

直子は、携帯電話の電源を切るなどということは思いつきもしない。コンサートや映画館に行ってスイッチを切ることを要求されれば、それには従う。また、病院では、習慣的にスイッチを切る。病院の機器に携帯電話の電磁波が悪影響を与えるかもしれないと知っているからだ。しかし、それ以外では、自分から着信を絶ってしまう発想はない。母親がなんのためにわざわざ直子に携帯電話を持たせているのか。それは、いつなんどき家に直子の手助けが必要な事態が起こらないともかぎらないからなのだ。

居酒屋に入る時、さすがに直子も携帯電話を切っておこうかと考えた。しかし、なんとなく携帯の入ったバッグに手がのびないまま、みんなと合流してしまった。


そこに、森下はいた。顔を見るという行為なしに、直子は知った。知ったというより、感じた。森下の気配に、直子の細胞の一個一個が感応したというのも言いすぎではない。森下がそこにいると感じた瞬間に直子は心臓の動悸が激しくなり、うつむいてしまった。

「一年生、おそーい」

先輩が直子達に黄色い声を浴びせる。そう言われてみれば、集合時間をすぎている。といっても十五分ほどなのだが、後輩の遅刻は一分といえどもけしからぬことである。合同コンパを祝した乾杯は、すでに終わってしまったようだ。それぞれのコップに注《つ》がれた飲み物がそれを証明している。

森下のことで頭が一杯になってしまった直子ではなく、友達の吉田美沙緒が鼻にかかった声で言い訳する。

「すみません。途中でちょっと迷っちゃって。なにしろ、居酒屋なんて滅多に来ないんで」

真相は、美沙緒がウインドー・ショッピングに夢中になったためだ。道ではなく、ウインドーにあったワンピースを買うか買うまいかで、三十分も迷った。結局経済上の問題で買わなかったが。

「おー、一年坊主は真面目だからね」

「おいで、おいで。とにかく座って」

総勢十九人ほど。直子の大学からは十二人が参加している。それが英語サークルの全員なのだ。差し引き計算すると、Ｋ大からの参加者は七人ということになる。Ｋ大の英語会には七人しかいないのだろうか。そんなわけはないだろう。合コンの参加者が少ないだけ、あるいはあとから来るメンバーもいるのかもしれない。しかし、そんなことはいい。肝心なのは、森下が出席しているということなのだから。

先輩に座ってと言われて、直子ははたと迷った。居酒屋では座敷が用意されていたが、十九人全員がひとつのテーブルを囲んで座る形にはなっていない。二つのテーブルに分けられている。森下のいるほうに十人、いないほうに九人座っているが、そのどちらもまだ二人や三人座れそうだ。直子は美沙緒と一年生同士一緒に座るべきか、それともばらばらになるべきか。ばらばらになるとしたら、どっちが森下のいるほうに座るのか。もっとも、森下の両脇はすでにK大の女子学生にかためられている。さらにその両横を、直子の大学の二年生の女子が占めている。だから、森下のいるテーブルといっても、森下の近くというわけにはいかない。ではせめて森下の顔が見られる席を、と直子は考えた。しかし、真正面から森下の顔が見える位置にいるのはK大生の男子ばかりだ。そこへ他校の学生でしかも一年生である直子が入っていくには、少なからぬ勇気がいる。

普段、直子はものごとの決断にそれほど迷うことはない。昼食はAランチにするのかBランチにするのか、そんな単純明快な選択なら一秒も悩まない。この場にしても、森下がからんでさえいなければ、あれこれ考えることはなかっただろう。だが、森下はここにいて、直子はハムレットみたいに愚図愚図している。

美沙緒が「失礼しまーす」と明るく先輩の間に割りこんでいく。美沙緒は三年生の篠崎に片思い中だ。その篠崎の隣に、美沙緒はちゃっかり座りこんでいる。

直子は、美沙緒に見えない糸でひっぱられるようにして、美沙緒の隣に座った。あいていた空間はせまかったが、隣の見知らぬ男性（ということはつまりK大生だ）が膝《ひざ》をくりよせてくれたし、美沙緒はほとんど篠崎と体を接触しそうになってかえって喜んでいる。しかし、これで直子が森下の顔を眺められる可能性はゼロになった。森下はもう一方のテーブルでこちらに背中をむけて座っているのだから。

恋をすると気弱になるんだ。直子は自分の新しい面を発見した。しかし、これが直子の初恋というわけではない。小学生の時のT君、中学生の時のO君とY君、それから高校生の時につきあっていたW君、そのどれも本当の恋ではなかったのだと否定する気はない。とはいえ、森下がいままで好きだった子達とちがっているというのも確からしい。直子はこの場所に来るまで、自分にとって森下の存在がこれほど大きなものだったことに気づいていなかった。

　しかし、恋をすると気弱になる自分を発見できたからといって、また、森下の存在が思いのほか大きなものだと気づいたからといって、なんの足しになるだろう。直子は森下の顔を見るという機会から完全に遠ざかってしまった。あわよくば目と目が合ってほほえみあうなんていう幸運も望めなくなってしまった。ほほえみあったあとに森下から話しかけられて名前と電話番号の交換をするという奇跡など、夢のまた夢である。

「ほらほら」

　K大生が、ビールの瓶を直子にむかって持ちあげている。直子はコップを手にして、ビールを受ける。直子は十九歳だが、コンパの席では関係ない。もっとも、直子が飲める量はせいぜい二口か三口だ。その点、美沙緒はずいぶんいける口だ。篠崎にビールを注ぎ注がれて、直子のほうなど見むきもしない。

「きみ、何年生。名前は?」

　隣のK大生が訊《き》く。ほかの合同コンパがどんなふうに始まるのか知らないが、直子のR大とK大の英語会の合同コンパはあらたまって自己紹介するなどということはない。なしくずし的に飲食に流れていく。隣に見知らぬ人がいれば、個人的にせっせと友好を深めるよりほかない。

隣のK大生は、前回のコンパにもいただろうか。記憶にない。

流行《はや》りだして久しいポニーテールのような髪形、直子はあれが似合う男性に滅多にお目にかかったことがないのだが、この男性はその滅多にいないうちの一人だった。眼鏡をかけて、賢そうな額をしている。眼鏡をはずせば森下にも負けない美形だということが、容易に想像できる顔立ちだ。

ここでさっさと自分に興味を抱いてくれたこの男性に心を移せればいいのだが、あいにくとそうはならない。顔がきれいなだけが、森下に魅《ひ》かれた理由ではない。目の前の男性にはなにかが足りない。あるいはなにかが過剰すぎる。話しかけられて、直子はひるむ気持ちさえ動く。それでも、友人に見捨てられたいま、隣の男性と話すしかないだろう。

「広瀬直子です。一年生です」

「僕は谷村祐一。理工学部の二年生」

「ああ。理工学部なんですか」

「広瀬さんは、文学部？」

「ええ。英文科です。Ｋ大の英語会には理工学部の学生さんが多いんですか」

「いや。理工学部は俺と森下君だけ。あ、森下といっても分からないか」

と谷村は首をめぐらして、森下をさがす。

分からないなんてとんでもない。谷村の唇から森下の「も」という音が漏れ出た瞬間に、もう直子の心臓はぴくりと生きのいい魚のように跳ねている。そして、現金にも谷村の隣に座ったことを喜んでいるのだ。もしかしたら、谷村に呼びよせられて、森下がこちらの席に来るかもしれない。

「あ、あいつ」

と、谷村は直子の期待に反して森下の後ろ姿を指さしただけだけれども、いずれ場の空気がほぐれれば席の移動が始まるだろう。この間のコンパの時もそうだった。いまは後ろ姿だけでも、そのうちに森下がこちらに来る可能性は充分だ。それだけではない。谷村の口から森下の情報をいろいろひきだすことだってできるだろう。うまくやらなければ、と直子は気持ちをひきしめる。

「Ｋ大の英語会は七人しかいないんですか」

「いやいや、全部で三十人くらいいるよ」

「そんなにいるんですか」

それなのになぜ七人しか来ないのだろうという疑問が、直子の顔に出たせいだろう。谷村は説明した。

「実は今日は合コンのかけもちなんだ」

有名な女子大の名前を挙げて、

「メンバーのあらかたはそっちのほうへ行っている」

「K大の英語会には女性が二人しかいないんですね」

K大の七人の参加者のうち、女性は森下の両脇にべったりくっついている二人だけだ。

「なんでそう思うの」

「だって、女子大との合コンに行きたがるのって、男性が多いんじゃないですか」

「残念でした。女性のほうが多いよ。そして、女子大との合コンに参加したのも女性のほうが多かった。なんでだと思う？」

「さあ」

「原因は森下君」

「え」

「おーい、森下」

　と、谷村は後ろの席に声をかけた。呼ばれた森下がふりむいた。直子は、できるだけさりげなく森下の顔を見ようとする。しかし、胸が高鳴って、谷村に心音を聞かれてしまいそうだ。

「なに」

「いや、なんでもない」

　変な奴といった表情で、森下は正面に顔を戻す。結局直子は、涼しそうな森下の瞳を盗み見ただけだ。

「ね、見てのとおり、あいつは女の子にとてももてる」

「はあ」

　私もあの人が好きなんです、という告白を顔に出さないように、直子は苦労した。

「当然、我がサークルに入っている女子の大半も森下君がお目当てだ。今日のかけもち合コンには森下君は女子大のほうへ行くだろう、と事前に噂が流れた」

直子は首を大きく動かした。

「分かりました。それで、女性はこぞって女子大の合コンへ行っちゃったんですね」

「そう。事前に噂を流した二人をのぞいてね」

つまり、それが森下の隣にぴったりくっついている女性二人ということだ。

直子は溜《た》め息が出そうだ。森下の周囲にはすでに高い壁が築かれているようだ、直子がよじのぼることなど不可能なほどの。

「なに考えたの」

「え」

「いますごくいい顔をした」

直子は思わず両手で頰をおさえる。男性からいい顔をしたなどと言われたのははじめてだった。いい顔イコール美人というわけではないにしても、誉《ほ》められたという実感はある。

それにしても、森下の周囲に壁ができるように谷村の周囲にも壁ができていいのではないだろうか。谷村が直子の独占状態になっているのが不思議だ。それとも谷村は、K大の女子学生の間に悪い噂がたっていて（遊び人だとかなんだとか）相手にされなくなっているのだろうか。

直子は、谷村の視線が下に流れたような気がして、スカートの裾《すそ》をひっぱった。座敷に座ると知っていれば、スカートなんかはいてこなかったのに。いや、これが森下の隣なら、それもこれもべつにいいのだが。

「飲まないの」

谷村は直子の足なんか気にしていないという顔つきで、ビールを持ちあげる。直子は首をふって、

「私、駄目なんです。食べ物のほうが」

そろそろ目の前の鍋がぐつぐつ言いはじめている。直子は谷村にビールを注いであげるなんていうことも思いつかず、シュンギクだの鱈《たら》だのを小皿にとりわける。ふうふう吹きながら、食べた。谷村は手酌でビールを飲んでいる。森下の隣に座っていたらこんなに自由にふるまえなかったかも、と、直子はちらと思う。

キャーと、わざとらしい嬌声が背中合わせのテーブルからあがった。森下の両脇にいる女子大生のようだ。直子は思い直す。自由にふるまえなくても、森下の隣のほうが何倍も楽しかっただろう。

「電話番号、教えてもらえるかな」

実にさりげなく、隣から言葉が来た。直子は危うくむせそうになる。早い。やっぱりプレイボーイなんだ。要注意。しかし、ここで打算が働く。谷村は森下と友達なのだから、谷村と電話番号を交換しておけばそのうちに森下とも親しくなれるかもしれない。

直子は携帯電話の番号を言おうとした。ちょうどタイミングを合わせたように、乙女の祈りのメロディが流れだした。膝もとに置いた直子のバッグからだ。携帯電話の着信メロディだ。

「すみません」

直子は、慌ててバッグをつかんで部屋を出た。無粋な奴と言いたげないくつかの目に見送られて。

バッグから急いで電話を出して、通話ボタンを押す。

『もしもし』

受話器から流れてきたのは、幸恵の声だった。ひどく心細げだ。

直子は驚いた。幸恵が直子の携帯電話にかけてくるのは、これがはじめてだ。そもそも幸恵は電話をかけるということが滅多にないのだ。

「どうしたの」

『お母さんが、熱がひどく出て』

「熱？　どのくらい」

『体温計が見つからないの。四十度ぐらいあると思う』

それはずいぶんな熱だ。昼間、直子が家を出る時はそんなひどい熱が出そうには見えなかった。幸恵は大げさに言っているのではないだろうか。

『お蒲団《ふとん》の中で唸《うな》っているの』

母親が蒲団の中で唸っている姿など、想像もできない。もともと健康な人間だし、風邪をひいたくらいで寝込むことはなかった。幸恵の世話をするために寝てなんかいられない、というのが母親の口癖だ。

「ユキちゃん、夕飯は食べたの」

『ううん、まだ。お母さん、死ぬんじゃないかしら』

幸恵は小さな子のように泣きだしそうだ。幸恵にご飯も食べさせられないとなると、母親の体調はただごとではないのだろう。四十度の熱というのも、あながち幸恵の思い込みではないのかもしれない。

直子は腕時計を見た。七時二十五分。

「お父さん、まだ帰っていない？」

分かっていることを、念のため訊く。

『まだ』

地方銀行に勤めている父親が七時や八時に帰宅することは、月に何回もない。銀行がばたばたと倒産するようになってからは、とくにそうだ。いずれ肝臓移植のために渡米しなければならないかもしれない娘のことを考えて歯を食いしばって働いているのだろうと、これは母親の考えだ。リストラされたら万事休すなのだから。しかし直子には、父親が家庭から逃げているように見える。いつ悲劇の場に転換するかもしれない家庭から。

いまがその悲劇への転換点なのだろうか。ふと思い、思ってから強く首をふる。母親が死ぬなんて、そんなことがあるわけはない。

「そんなに熱が高いなら、きっとインフルエンザだわ。ユキちゃん、とにかく夕飯食べてなさいよ。それくらいできるでしょう。私、すぐ帰るから」

『すぐ？　何時』

「ええと、一時間かそこら」

『じゃあ、待っている』

待っているという声が、溺《おぼ》れかけている子供が藁《わら》にすがりつくかのようだ。よほど心細いのだろうと察しながらも、一抹のうっとうしさが直子の心をよぎる。

直子が通話ボタンを切るのと、ふすまが開くのと同時だった。

部屋から出てきたのは、森下だった。

「あ、ごめん」

なにが「ごめん」なのか。直子がびっくり箱でも開いたような顔をしたためなのか。ともかく、森下と話をする突然のチャンスに、直子は目眩《めまい》のような至福を感じる。溺れかけている姉や蒲団の中で唸っている母親を忘れそうになる。

「いえ。電話の声、うるさかったですか」

「え。そんなことないよ、全然。なにも聞いていないからね」

「あ、聞かれて困ることはしゃべってないです」

「僕、トイレだから」

「あ、はい」

森下はトイレに行ってしまった。

直子は森下との会話を反芻《はんすう》し、なんてこった、とがっくりきた。電話の声がうるさいなんてことはありっこない、みんなのおしゃべりのほうがはるかにうるさいのだから。森下は、立ち聞きをしていたのではないかと直子に疑われたと思ったようだ。第一声にもうちょっとマシな台詞《せりふ》を考えつくことはできなかったのか。母親が風邪で高熱を出していると心配そうにつぶやきでもしたら、森下に好感を抱かれたかもしれないのに。

母親の高熱だ、と直子は思い出す。森下とのぶざまな初会話を分析しているゆとりはない。

直子は宴会の席に戻り、英語サークルの部長のそばによって耳打ちした。

「帰ります。母が高熱を出しているので」

「ああ、そう」

周囲の人々のために鍋に具を入れるのに余念のなかった部長は、直子をふりかえって小さく首をかしげた。

「おうち、だれもいないの」

「いないんです」

と、直子は言った。なにもできない幸恵では、いないも同然だ。直子は、大学の友人に体の悪い姉がいると明かしていなかった。

「じゃ、しようがないね。会費はええと……いいや、ほとんど食べてないでしょう。お母さん、お大事に」

「ありがとうございます」

直子は男にしてはよく気のつく部長に頭を下げ、それから同級の美沙緒にちらと視線を泳がせた。美沙緒は相変わらず篠崎にべったりで、つまりあちらに顔をむけっぱなしで、合図を送りようもない。直子の話し相手だった谷村はといえば、今度は右隣の直子の先輩と話しこんでいて、顔はこちらをむいているものの、直子の姿を視野に入れているとは思われない。直子の電話番号を訊こうとしたことなどとっくに忘れているだろう。

直子は隅に置いてあったコートをとり、部長の目にだけ見送られて慌ただしく居酒屋を去った。

直子は、九時近くに家に帰りついた。

母親は幸恵の電話どおり、蒲団の中で唸っていた。時おり、すさまじい咳《せき》をする。体温計を見つけてはかると、確かに水銀柱は四十度のあたりまで上がった。

「幸恵の夕飯はどうしたかしら。体のふしぶしが痛くて、どうしても起き上がれない」

熱をはかっているのが次女と分かって、母親は切れ切れの声で訴える。こんな時でも、母親の一番の心配ごとは幸恵なのだ。

「救急車を呼んで病院に行ったほうがいいんじゃないかしら」

「大げさな、風邪くらいで」

「風邪といっても、インフルエンザは恐いらしいよ。家には風邪薬もないし」

「そんなウイルスがうつる場所に行ったことは……」

激しい咳が出て、最後まで言えない。

「うつった覚えがなくても、ウイルスなんてそこら中にうろうろしているんだから。本当にインフルエンザで、ユキちゃんにうつったりしたら大変だよ」

幸恵の名前はいつでも絶大な効果がある。母親は熱に潤んだ眼で直子を見上げ、少し迷いを見せながらも言った。
「救急車呼んでくれる」
「もちろん」

母親は、救急車で運ばれた先で即入院となった。直子の見込みどおりインフルエンザで、しかも肺炎を起こしていた。どうやらどうにも動けなくなるまで我慢していたらしい。

いや、入院が決まっても、母親は気丈だった。大丈夫、熱さましを一本打ってもらえさえすれば帰れる、と咳の合間に主張したものだ。しかし、母親はまだ五十歳というべきか、もう五十歳というべきか、とにかく肺炎を甘く見られる年齢ではない。家に帰るわけにはいかなかった。

母親が入院している間、家事は全面的に直子の肩にかかってきた。大学の冬休みまで数日あったものの、出る必要のない講義ばかりなのが不幸中の幸いだった。とはいえ、直子がそれまでしていた家事といえば、落ち葉の始末や部屋の掃除、食後の後片づけといった程度で、本格的な家事をやったことは一度もない。そのことに、直子は母親が入院してはじめて気づいた。いっぱしの手伝いをしているつもりだったのに、直子も母親におんぶにだっこのようなものだったのだ。

朝、家中の雨戸をあけはなつ（いままで自分の部屋の雨戸をあけるだけだった直子は、これがけっこう手間のかかる作業なのを発見した）、父親と自分の朝食を作る（トーストとコーヒーの簡単なもの）、姉の朝食を作る（高カロリー、高蛋白、高ビタミン、減塩の食事が必要だ。二種類作るのは面倒なので、昼食からは直子も姉と同じものを少なめに食べることにした）、食後の後片づけをする、洗濯をする、風呂場を含め掃除をする（しかし、これは手抜きしよう。手抜きするしかない）、昼食を作る、食後の後片づけをする、洗濯物をとりいれてしまう、夕飯の買い物に行く、夕食を作る、後片づけをする、風呂を沸かす、その合間に母親の見舞いにいく。数えるだけなら簡単だが、一つ一つこなしていくと意外なほど時間がかかり、目がまわるほど忙しい。

家事の中でなんといっても厄介なのは、姉の食事だ。一日に摂取すべきカロリーや蛋白質、ビタミン、それにこのところ軽い腹水があるので塩分の量も計算して、献立を考えなければならない。

病院のベッドで母親の頭を占めているのも、幸恵の食事のことばかりのようだ。母親は、入院翌日のまだ胸がゼイゼイいっているうちから、

「献立なんか毎日同じでもいいから、とにかく栄養と塩分だけ気をつけてね。食品成分表と計量器を必ず使うのよ」

様子を見に病院へ行った直子に何度も同じことをくりかえした。

「腹水を悪化させるとまた入院になってしまうからね。あんまり動きまわることもさせないでね」

分かっている、分かっていますとも。

幸恵の硬くなった肝臓が小康状態を保っていられるのも、母親の徹底した管理があったからだろう。何度も危険な状態に陥ってその都度自宅に帰れるまで回復したのは、なによりも母親の努力があったからだ。母親の留守中、直子はできるだけ母親の努力

を継がなければならない。

「忙しいから、帰る」

へきえきした直子は、母親の洗濯物を持って早々に病院を出た。


夕飯の材料を買って帰ると、幸恵が待ちわびたように玄関に出てきた。

「留守中、電話が来たよ」

報告して、得意気に小鼻をふくらませたのは、立派に留守番ができたことを誇ってのことだろうか。なんだかいつもよりはしゃいだ感じがする。しかし、直子は姉の態度を考察しようなどと思わない。沈んでいれば体調が悪いのかと心配だが、はしゃいでいるのはいいことだ。

幸恵は電話の相手についてだれとも言わなかったし、直子も訊かなかった。直子の頭に美沙緒の顔が浮かんでいた。ゆうべ美沙緒になにも言わずに宴会の席を抜け出したから、心配して電話をよこしたのだろう。それにしては携帯のほうにかかってこないのが不思議だけれど、と考えて思い出した。病院で携帯電話の電源を切って、そのまま忘れていたのだ。

美沙緒に連絡している暇はない。洗濯物をとりこみ、夕食を作るという一大仕事が待っている。直子は、電話のことをたちまち忘れた。

風呂に入ってようやく人心地がついたのは、もう今日という日が終わる時刻だった。直子は美沙緒の携帯電話の番号を押した。

『もしもし』

電話から美沙緒の声が流れてくると、直子はせわしなく謝罪の言葉を浴びせた。

「ごめんね、電話するの遅くなって。お母さんが倒れちゃったものだから、一日中家事に追われていたの」

『お母さん病気なの。それでゆうべ急にいなくなったんだ』

「そうなのよ。そのことで、お昼間電話くれたんでしょう」

『私、電話していないよ。私、それどころじゃなかったの』

え、そうなの、じゃだれが、と直子が口にする間もなく、美沙緒は自分の身に起こった重大事を、雀のさえずりのように忙しくしゃべりだした。

『ゆうべあれから三次会までつきあったのよ。篠崎先輩が行くとこ全部ついていこうと思って。最後は五、六人でカラオケに行って、朝まで歌っていたわ。もうほんとに朝までよ。喉《のど》なんかからから。それで帰る間際になって、私、お財布がないことに気がついたの。二次会ではちゃんとお金を払っているんだから、落としたのはそのあとよね。みんな、私にはカラオケ代払わなくていいって言ってくれたけど、でもお小遣いもらったばかりで、それとアルバイト代も全部お財布にぶちこんでいたし、超ショック。それでも篠崎先輩とクリスマス・イブの予約でもできればまだしも、そんな話には全然ならなかったし。こんなことなら、あのワンピース、高いなんて思わずに買っておくんだった』

聞いていて、直子は耳の中に砂でも流しこまれている気分になった。全財産をなくすなんて、不幸なことだ。しかし、楽しみにしていた忘年会を途中で抜け出して母親の代わりをしなければならないのと、どっちがひどい不幸だろう。お母さんの具合はどう？　くらい訊いてくれてもいいのではないだろうか、自分の不幸をまくしたてる前に。

しかしまあ、この友人はいつもこんなものだ。英語サークルに入った新入生が二人きりということで、親しくなっただけのこと。家庭の問題を一緒に悩んでくれと要求するほうがまちがっている。

『篠崎先輩ってば、私のことどう思っているのかしら。どう思う』

「さあ、よく分からないわね」

声がつっけんどんにならないように気をつけながら、直子は答えた。

「美沙緒が先輩のことを好きだというのは分かっていると思うな。それで邪険にしないというのは、見込みがないってわけじゃないいんじゃない」

『見込みがないってわけじゃないけど、あるとも言いきれない。ああ、もう、篠崎さんなんか諦《あきら》めて、森下さんにでも鞍替《くらが》えしようかな』

直子の心臓に冷水を浴びせるようなことを言う。直子が森下を好きなことを、美沙緒は知っているはずだ。美沙緒の意中の人が篠崎だと知っていたから、直子は安心して美沙緒に心を打ち明けたのだ。いまさらライバル宣言はないだろう。

「え、なに。なんで森下さんなの」

声が尖《とが》るのを抑えようもない。

『あ、そっか。森下さんは直子のお気に入りか。かんにん。つい、スキー旅行に誘われたものだから』

「森下さんがスキー旅行に？」

『ああ、誤解しないで。二人きりの旅行じゃないから。K大の英語会が合宿をかねて行くスキーに誘われただけだから』

二人きりの旅行でなくても、美沙緒が森下から直接スキー旅行に誘われたというその事実が、直子を打ちのめす。ゆうべ、幸恵に呼び戻されさえしなければ、直子も森下からスキーに誘われていたかもしれない。母親はあと三、四時間医者に見せなくても命に別状はなかっただろう。どうして幸恵はあんなに早く直子に泣きついたりしたのだろう。いまさらながら恨めしい。

「いつそんな話ができたの」

『二次会の時、篠崎さんの隣が森下さんだったの。で、篠崎さんとスキーの話でもりあがって、私がスキーをしたことがないって言ったら、英語会のスキー旅行に誘われたの』

「じゃあ、篠崎さんも一緒？」

『そうよ』

直子は少し落ち着きをとり戻した。どうも、森下がスキー旅行に誘った本命は篠崎のような気がする。そうは言っても、美沙緒が旅行に誘われて直子が誘われていないという悲しい現実は否定しようもないけれど。

『行き先は北海道で、篠崎さん、心動かされていたみたい。私も行きたいな』

美沙緒の頭を占めているのは、やはり篠崎だけのようだ。

直子は束《つか》の間、森下と仲よくスキーをしている自分の姿を思い浮かべてうっとりする。スキーなんかしたことはないし、北海道まで行く時間的金銭的余裕があるわけでもないのだが。

「北海道だと、ずいぶん旅行代がかかるんでしょうね。さすがK大はお金持ちの行くところだわ」

お金持ちで、美沙緒は思い出したようだった。

『ああ、でも、私、全財産なくしちゃったんだよね。明日からアルバイトしなくちゃ、スキー旅行どころか年も越せないよ。ね、なにかいいアルバイト知らない？』

「知らない」

『そうよね。直子ってアルバイトしなくていい身分だもんね。羨《うらや》ましい』

「そんな身分じゃないわよ」

『だって、お父さん、銀行員なんでしょ。銀行員の一人っ子なんて、お金の苦労なしじゃない。現にアルバイトした経験ないんでしょう』

「私、一人っ子じゃないよ。姉が一人いる」

『あれ、そうなの。でも、一人でも二人でも、たいしたちがいはないじゃないの』

それが、普通の姉ならね、と言いたいのを、直子はこらえる。姉のことで同情されるのは、昔から嫌いだった。もっとも美沙緒なら、姉が重い病気をもっていると言っても「あら、そう」ですますかもしれない。

直子がアルバイトをしたことがないのは、小遣いに不自由していないからではない。大学生になってから、ぐんと出費が多くなった。いまもらっている小遣いだけでは不充分だ。ただ、アルバイトをすると言ったら、母親を悲しませそうな気がしていた。広瀬家は、幸恵の手術に備えて切り詰めた生活をしている。直子が自分で小遣いを稼ぐのは不甲斐《ふがい》ない親への当てつけだと、母親は受けとめるのではないだろうか。そういう思考法をする人間なのだ、母親は。

しかし、アルバイトなどいまどきの大学生ならだれでもやっていることだ。今度私も働いてみよう、直子は思った。

「いいアルバイトがあったら、私にも紹介して」

『あら、お母さんが病気でそれどころじゃないんじゃないの』

母親が病気だということは、一応美沙緒の頭にインプットされていたらしい。

「お母さんの病気が治ってからの話よ」

『一緒にファスト・フードで働くのも悪くないかもね、お互い助けあいができて』

さあ、それはどうだろう。前期のカリキュラムで美沙緒と一緒にとった科目があるが、そこでは何度か直子が美沙緒にノートを見せなければならなかった。そして、その逆は一度もなかった。

部屋のすぐ横の玄関で音がした。母親が入院しても仕事の手を抜かない父親のご帰還のようだ。

「父が帰ってきたみたい。電話切るね」

『えー、お父さんをわざわざ出迎えるの。えらいね』

「だって、いまお母さんがいないから」

『うちのお母さんなんて、お父さんがこんな時間に帰ってきたら、眠っていて起きないよ』

「お宅の家庭はそうかもしれないけど」

と、直子は早く電話を切りたいのに、

『そうだ』

こんな時になってから、美沙緒は重要なことを言い出す。

『K大のもう一人の男の子、なんていったっけ、昨日あなたの隣に座っていた』

「谷村さん？」

『そうそう。谷村さんが、あなたの電話番号知りたがったから教えちゃったよ、自宅のほうの。いいでしょう』

直子は驚いた。教えてしまってから、いいでしょうもないものだ。

『そのうち電話が行くかもしれないけど、驚かないでね』

「分かった。じゃあね」

美沙緒がまだなにか言いたげなのを、直子は強引に切る。

昼間電話をよこしたのはだれなのだろう。美沙緒だとばかり思って幸恵になにも確かめなかったが、ひどく気になる。相手は女だったのか男だったのか。いますぐ幸恵に訊きただしたい。しかしもちろん、幸恵はもう寝ているし、起こすわけにはいかない。

　直子は宿題をし残したような思いを抱えて、玄関へ出ていく。

　コートを脱いでいる父親の体からは、かすかに酒の匂いが立っている。銀行でどうしてこんなにお酒を飲む機会があるのかしら、と、直子は不可解だし不満だ。せめてこういう非常時には早く帰ってきてほしい。もっともこんな父親も、直子がまだ幼かったころの幸恵の入院では、母親を手伝ってちゃんと直子の世話をしてくれた。幼稚園の遠足に持っていくおむすびさえ作ってくれたことがあるのだ、歪んだ三角形だったけれど。だから直子も、父親をぎりぎりのところで放り出せない。

「おかえり」

「ただいま。幸恵の様子はどうだ、お母さんがいなくて」

「変わらないよ」

「それはよかった」

「お母さんは少しよくなっているよ」

　訊かれないのに苛立《いらだ》って、直子は言う。父親は当然のようにうなずく。

「うん。そうでなきゃ困る」

直子へのねぎらいの言葉はない。

「お腹すいていない？」

「そうだな。お茶漬けくらい食えるかな」

瞬間、直子は、父親の頭を拳《こぶし》でどついてやろうかしらと思う。母親がいない時くらい、自分のことは自分で始末してほしい。明日からは空腹かどうかなんていう質問は一切やめようと心に決めて、直子は台所へ入っていく。


幸恵の起床時間は七時三十分である。規則正しい生活が幸恵の肝臓を守るのだと、母親は信じている。だから、幸恵の起床時間が前後十分以上ずれることは滅多にない。ずれるとしたら、それは幸恵の体調がいつも以上に悪い時である。こういう時、幸恵は起床時間もなにも、そもそも起きるということをしない。

父親が家を出る時間は七時三十五分ごろだ。たいていの場合、父親は幸恵のその日の顔色を見てから、家を出ることができる。帰宅が遅いから、それがウィークデイで唯一幸恵の様子を見ることのできる時間である。

しかし、母親が入院した翌々日の朝、幸恵は八時近くになっても起きてこなかった。父親は「さっきちらっと覗いたら、幸恵はまだ寝ているみたいだ。どうしたのかな」と心を残しながら出かけていった。直子は食事の支度が終わっていなかったので、これ幸いとばかりに放置しておいた。どうやらテーブルに朝食を並べることができてようやく、直子は姉の寝坊に頭がまわった。幸恵の部屋を見にいく。

幸恵の部屋は二階にある。階段ホールをはさんで両親の寝室とむかいあっている。二階にはその二部屋しかないから、直子の部屋は一階に与えられている。昔は直子も二階に寝ていた。いまは両親の寝室になっている八畳間に、母親を真ん中にはさんで幸恵と三人枕を並べて寝ていたのだ。遅く帰宅する父親は、現在幸恵が使っている部屋で寝ていた。ところが、小学校に入った年から直子はひとり一階に追いやられた。なぜだかよく覚えていないが、幸恵が自分の部屋をほしがったせいではないだろうか。それ以来、直子は一階でひとりで寝ている。

「ユキちゃん、眠っているの」

軽くノックをしてから、直子は幸恵の部屋に入った。電気をつけると、幸恵は寝返りを打って、まぶしそうに目をあけた。

「ああ、ナオちゃん。いま何時」

「もう八時よ。どうしたの。気分でも悪いの」

「ううん、そんなことはない。ゆうべ少し眠るのが遅かったから」

「どうして。眠れなかったの？」

質問の途中で、直子は思い当たった。直子の部屋は幸恵の部屋の真下にある。ゆうべ夜中に、幸恵の部屋から話し声が聞こえたような気がした。空耳だろうと思っていたが、どうやらちがうようだ。ゆうべは深夜に幸恵が好きなタレントが出演している映画を放送していた。夜遅い番組はいつもはビデオに録《と》って昼間見るようにしているはずだが、

「あの映画を生で見たわね」

図星だったらしく、幸恵は顔を赤くした。

だが、幸恵の口から出てきたのは反省の言葉ではなかった。

「いいじゃないの、たまには」

およそ幸恵にはふさわしくない、居丈高な口調である。どうしたことだろう。面食らった直子は、母親の名を護符のように持ち出す。

「できるだけ安静にしなきゃいけないって、お母さんが言っていたわよ。腹水がたまっているんでしょう」

「お母さんは大げさに考えすぎるのよ。夜遅くまで起きているくらい、どうってことないわ。私だって、ちょっとは年齢にふさわしい生活がしてみたい」

幸恵は、細々とした声ながら堂々と主張する。口調にいつものような甘ったれたところがない。顔つきまで一挙におとなびたようだ。目尻のきりっと上がった顔がおとなびると、ずいぶんと貫禄があった。

直子の当惑は大きくなる。同時に、少しばかり意地悪な気分も出てくる。年齢にふさわしい生活ねえ。年齢にふさわしい生活ができるくらい元気なら、義務も果たせるのじゃないかしら。少なくとも、自分の食事をつくるくらいのことはしてもいいはずだわ。そうすれば、私はあなたの規則正しい生活のために朝六時から起きて支度をせずにすむ。

言葉は頭の中でつづられるだけで、音声となって出てくることはない。学校にあがるころまで、直子は姉というものはどこの家でも妹よりはるかに大切にされ、なに一つしなくてもいい存在なのだと思っていた。その後友人の家庭をあれこれ見るようになってからは、自分の家がむしろ例外なのだと知ったけれど。

「ご飯できてるよ。起きないの」

「起きるよ」

のろのろと、幸恵はベッドに起き上がる。しょっ中体を掻《か》きながら、パジャマひとつ脱ぐのにおそろしく時間をかける。

姉の動作は万事がこの調子だから、待っていられない。直子は部屋を出ていこうとする。が、ドアのところで昨夜からの懸案を思い出した。

「昨日、私に電話が来たって言ったよね。相手はだれだったの。名乗った？」

「名乗った。けど、忘れた」

直子はむっとした。あまりに責任感が希薄だとなじりそうになったのは、さっき一人前の口をきかされたせいだ。

幸恵は直子の顔色を読んで、言い訳する。

「昨日のうちだと覚えてられたのに。ナオちゃん相手を知っていそうだったから、記憶を消去しちゃった」

「知っていると思っていたけど、ちがったのよ」

「じゃ、新しいボーイフレンド？　すごくやさしそうな声の人だったよ。いいなあ」

失敗をごまかそうとする意図ではないだろう。幸恵は夢見る表情をする。幸恵の二十一年の全生涯にボーイフレンドと名のつくものが現れたことはないし、これからも望み薄だろう。それがどんなことか、直子はあまり想像したことがない。

直子は、相手が男性だったと知って頭を悩ましている。知人の中に、電話をかけてきそうなやさしい声の男性がいただろうか。

直子は、ゆうべの美沙緒との会話を思い出した。K大の谷村が直子の電話番号を訊いていて、近く連絡をよこすかもしれないということだった。

しかし、谷村はやさしい声の持ち主だっただろうか。それに一昨日の昨日、もう電話をよこすだろうか。

昨日のやさしい声の持ち主は、谷村だった。直子が母親の見舞いにいっている間に、谷村はまたしても電話をよこした。幸恵は今度はちゃんと名前を覚えていて、得意そうに直子に伝えた。

「私がどこに行っているか言ってくれた？」

「ううん」

「じゃあ、なんの用か訊いてくれた？」

「ううん」

「また電話するって言っていた？　それとも相手の連絡先を訊いてくれた？」

「いや、とくに。谷村といいますが、直子さんいますか。いいえ、いません。そうですか、失礼しました。それが会話のすべて。もっとなにかしゃべらなきゃいけなかった？」

幸恵は不安を顔に覗かせる。腹を立てられるような失敗だっただろうか。

直子は沈黙している。内心ではしようがないと思っている。社会生活の経験のほとんどない姉に、充分な対応を期待するほうがまちがっているのだ。この調子では、もしかしたら谷村は直子が谷村を避けて居留守を使っていると思ったかもしれない。しかし、それならそれでいい。直子は谷村には興味がないのだから。森下と友人だということがちょっと残念ではあるけれど。

「お母さん、どうだった」

幸恵は話題を転換する作戦に出る。立腹していない直子は、作戦に乗ってやる。

「まだ熱があるわ。七度台まで下がったけどね」

「当分帰れそうもない？」

「うん、あと一週間は無理だろうって、お医者さんが。寂しいでしょう」

幸恵は、ぶんぶんと勢いよく頭をふる。直子は意外だった。幸恵の表情は、母親がいなくてせいせいしていると言っている。

「お母さん、病院でユキちゃんのことしかしゃべらないんだよ」

「ん。でも、いつもお母さんと一緒だから、たまには離れるのも悪くない」

直子は、母親にこの言葉を伝えようと思う。お母さんのユキちゃんへの思いは片思いのようなもの。病気の時くらい、ユキちゃんのことは忘れてゆっくりしたほうがいい。

いや、本音では、病気の時くらい長女のことではなく、家事一切をひきうけているけなげな次女のことを一番に考えてほしいと思ったのだ。しかしそれは、意識の表面にのぼってくることはなかった。そういった願望は、意識されることなく直子の心の底に沈殿するのが常だったから。

幸恵は一週間に一度、病院に行かなければならない。たいがいは、薬や問診だけではなく、検査が入っている。一時は幸恵が一人で行けたこともあるが、最近は必ず付き添いがつく。今回は母親が入院しているので、直子が付き添うことになる。父親は決して仕事を休んで自分が付き添うとは言わない。

かかりつけのB大病院は車で二、三十分のところにある。母親だと自家用車を使えるのだが、直子は車の運転免許をもっていないから、タクシーで行った。

病院は、幸恵の独壇場だ。どこでなにをすればいいか、幸恵は完全に把握している。外来受付の手続きも、普段は母親がやっているはずなのに、幸恵はちゃんと心得ている。病院は嫌いだなどと言いながら、幸恵は水を得た魚のように生き生きと病院内を動きまわる。

今日の検査は超音波検査、血液検査、尿検査だ。幸恵は手際よくまわっていく。直子は待合室に座って、ただ幸恵が検査から解放されるのを待っていればいいだけだ。退屈だった。幸恵の検査にいちいちついてまわらなければならないと覚悟していたから、暇つぶしのための本を持ってくるということもしなかった。消毒薬臭い待合室は、時間のたつのが実際以上に遅く感じられる。

むやみやたらにきょろきょろしていると、思いがけないことにぶつかった。ガラスの自動扉から入ってきたあの短いポニーテールの人物に、見覚えがある。それも、つい最近出会ったばかりの人だ。

相手のほうが早く直子に気がついた。眼鏡の奥の目を大きくして、直子に近づいてくる。直子は思わずベンチから立ち上がったが、逃げるつもりは毛頭なく、ただ驚きが立ち上がるという行為に転化しただけである。

「奇遇だなあ。どうしてこんなところにいるの」

と、相手は言った。直子はそれでも半信半疑で、

「谷村さん？」

「そのとおり。覚えていてくれて嬉しいよ。電話は通じなかったけど」

「あれはいつも病院がよいしている時間だったから」

「そうなんだ。歯の治療？」

「どうして」

「それ以外の病気は広瀬さんには似つかわしくないから」

おかしなことを言う人だと思った。しかし、不愉快な発想ではない。谷村にたいする親しみがほのかに湧いてくる。

「私の体が悪いんじゃなくて、母の見舞いです。あ、でも、この病院には姉の検査についてきたんですけど」

「きみんち、病人が多いんだね」

眼鏡の奥に同情が揺らめいたように見えて、直子は今度はいくらか反発を覚える。

「母は冬の流行に早々と乗っかっただけ。インフルエンザから肺炎を起こして入院したんです」

「それでお姉さんは？」

「質問ばかりしないでください。谷村さんはなぜ病院に来たんです。歯の治療？」

「そうそう。俺が病院にかようとしたら、それしか似合わないよ。でも、本当はちがうけど」

直子は、はじめから知っている。この病院には歯科がないのだ。けれども、谷村が病院に来た理由を言いたくないのなら、直子もあえて聞こうとは思わない。歯科がよいでいいのだ。しかし、谷村は言う。

「ちょっと弟が入院していてね」

　決して深刻な口調で言われたわけではなかった。しかしその瞬間、直子は理解できた。はじめて会った日、森下から谷村に心を移すには谷村にありすぎると感じたもの、その正体が見えたのだ。それは自分と同じ陰だ。つまり、孤哀子《クーアイツ》みたいな陰。

　孤哀子というのは、中国語で親のない子という意味らしい。開高健の小説で知った言葉だ。口の中でかみしめるとほろ苦い味がする。私にぴったりだ、言葉を知った時、直子はそう思った。もちろん、直子に親がいないわけではない。しかし、親は病気のきょうだいにばかり気を配り、直子はほとんど無視されて育った。親が目の前にいる分、孤独は本物の孤児とは一味ちがう複雑な陰を帯びる。「お母さん」と甘えてエプロンにしがみついても、母の目線はつねに姉に注がれている……父の厚い背中はいつも姉に占領されている……。

　谷村の弟はなぜ入院しているのだろう。ただの盲腸で、一週間もすれば退院できるのだろうか。いや、ちがう、と確信をもって直子は言える。谷村もまた、生まれつき病気のきょうだいをもって、孤独をかみしめながら育った口にちがいない。

　しかしまあ、谷村の場合は弟だ。直子のように生まれたらその時にはもう頭の上に病気のきょうだいがいた、というわけではない。谷村はその分、恵まれている、親を独占できる時間があったわけだから。

「弟さん、おいくつですか」

「十九歳」

「一つちがい？」

「そう」

直子は小首をかしげる。一つちがいでは、親を独占できたといっても、そのころの甘美な記憶はないかもしれない。弟の発病が遅ければべつだが。

「一つちがいの弟が病気だと、おかしい？」

「そんなことないです」

束の間、二人の間に沈黙が落ちる。谷村は、まるで名前を呼ばれるのを待つ患者のようにベンチに腰をおろす。直子は立ったままで、だから谷村を見下ろす形になった。谷村は見下ろされながら、なにげなさそうに訊く。

「広瀬さんの家、この辺なの」

「車で二、三十分です」

「じゃあ、ここからとくべつ近いわけでもないんだ」

谷村の家はここに近いから、この病院を使っているのだろうか。

「谷村さんのおうちは近いんですか」

「うちも車だと三十分くらいかな。我が家と病院より我が家と広瀬さんの家のほうが近かったりして」

「え、そうなのかしら」

しかし細かく話していくと、谷村の家は直子の家とは反対の方角から三十分ということで、結局双方の住まいはずいぶんと離れていることが分かった。二人がこの病院以外のどこかで偶然に会うということはまずなさそうだ。

「お姉さんの検査、長引きそうなの」

「さあ。はじめてついてきたから……さっきエコー室に入ったけれど、まだ問診が残っているし」

「食堂でお茶を飲む時間くらいありそうだね」

いまにも直子の手をとって食堂へ行きそうにベンチを立ち上がるから、直子は一歩しりぞいた。

「谷村さん、弟さんのお見舞いにきたんでしょう」

「見舞いは三十分やそこら遅れてもかまわないよ。とくに用事があるわけじゃなし」

「私、ここを離れるわけにいきません。待っているって、姉に約束したから」

「分かった。じゃあ、今度、時間のある日にデートしよう」

直子は、不謹慎なことをしているような後ろめたさを感じた。なにしろここは病院なのだから。

「谷村さんて、ほんとに積極的な人なんですね」

「だれにたいしても積極的というわけじゃないかしら」

「そういうのって、プレイボーイの決まり文句じゃないよ」

「きみはプレイボーイについての知識が豊富なんだ？」

分厚いレンズの奥の目が、明るく笑っている。

直子は、返す言葉がなくて口をつぐむ。本当にこの人は孤哀子なのだろうか。自分の思い込みなのではないかと、怪しむ気分になってくる。病気のきょうだいをもって、こんなにお気楽でいられるだろうか。

視線のむこうに、幸恵の姿が見えた。ゆっくりした歩調で、こちらに近づいてくる。

「姉だわ」

「エコー、終わったんだ」

谷村は直子の視線の先をたどって、幸恵を見つけたようだ。幸恵を紹介しろなどと無神経なことは言わない。幸恵を眺める谷村の目に痛みのようなものが閃《ひらめ》くのを、直子は見た。やはりこの人は病気のきょうだいをもっている。直子はあらためて確信する。

谷村は直子に視線を戻し、とても真面目な表情で言った。

「今晩電話する。いますか」

「いますけど」

いますけど、私はお互いの傷口を舐《な》めあうような、そんなつきあいは嫌なの。心の中で、直子はつぶやく。森下の美しいだけの顔を思い浮かべる。美しいだけの人がいい。自分と同じ陰を背負っている人には、深入りしたくない。谷村はそう思わないのだろうか。

「じゃ、弟のところに行くから」

谷村は待合室をつっきって、エレベーター・ホールへ去っていった。

幸恵はゆっくりとゆっくりと歩きつづけている。直子はしびれを切らして、自分から幸恵のほうへ行った。

「いま話していたのだれ」

幸恵は開口一番に訊いた。

「エレベーター・ホールがどこか訊《たず》ねられていたのよ」

直子は嘘をついた。説明するのが面倒くさかったこともあるし、谷村をボーイフレンドだと勘違いされるのも本意でなかった。しかし、妙に勘のいいところのある幸恵は、疑わしそうな顔をしていた。


日曜日に、直子は谷村とデートした。谷村の熱意におされたのと、息抜きしたかったのと、両方ある。母親はまだ入院していたが、父親が家にいた。また、幸恵が先日の検査で腹水がなくなっていたことも、長時間家をあける気になった一因だった。ただし、二人の昼食も夕食も、直子が作った。四食分のおかずを冷蔵庫からとりだすか電子レンジで温めればいいだけにしておいたのだ。この二十一年間、家事無能者の父親と長女の面倒をつねに見つづけてきた母親の不自由を、直子は思いやった。

双方にとって都合のいい、都心部のファスト・フード店で落ちあった。

事前に、二人はどこへ行くとも予定していなかった。チーズバーガーをかじりながら谷村がディズニーランドを提案したが、直子は拒否した。あそこは、家族連れか恋人同士が行くところじゃないかしら。さもなければ、何人かの仲間でわいわいと。

「今度お互いの友人を誘って一緒に行くならいいですよ」

そう言った時、直子の念頭にあったのは、森下だ。

今日、谷村の誘いに応じたのだって、半ば森下のことがあったからだ。少なくとも、直子の意識の表層ではそうだった。

相手がただの知り合いの谷村だということを強く意識して、お洒落もろくにしてこなかった。アクセサリーはなし、半コートの下は手編みの空色のセーターにジーパン、ゆうべシャンプーしたあとそのまま眠ってしまい髪の毛がくしゃくしゃだったのでセーターと同色の毛糸の帽子をかぶった。偶然にも、谷村も毛糸の帽子をかぶってきた。色も合わせたような濃い青である。それでかえって二人が恋人同士に見えてしまいそうなのが、直子の気がかりの種だ。

「じゃあどこがいい」

「映画は駄目ですか。私、見たいのがあるの」

「涙いっぱいのロマンスじゃないだろうね」

直子は左目をつぶり、右手の人差指を水平に谷村につきだして、

「バキューン、ダッダッダッダッダッ」

「広瀬さんの趣味？」

「趣味。谷村さんは嫌い？」

「好き」

谷村の賛同を得て映画館へ行ったが、残念ながら目当てのアクション映画は上映が始まったばかりだった。二人とも途中から見るなんてことのできない性格だったから、次の回までほかのことで時間をつぶさなければならない。どこでなにをすべきか。

まるでタイミングをはかったように、直子の携帯電話が乙女の祈りを奏でだした。

『もしもし』

父親の声だ。直子の搏動《はくどう》が一回飛ぶ。またしてもお楽しみを途中で邪魔されるのだ

ろうか。いや、これは通常の意味でのお楽しみではない。だからいいのだけれど、でもやはり困る。直子はまだ谷村から森下の情報をなにもひきだしていない。息を詰めるようにして訊く。

「どうしたの」

『ええと、冷蔵庫に入っているじゃがいものサラダか、これは全部、幸恵に食べさせていいのか』

「えー」

なんてことだ。ホッとしたけれど、腹も立つ。

「二人分よ。冷蔵庫に入っているのは全部二人分。そう言ったでしょう」

『そうか。分かった』

「まだご飯食べてなかったの」

『なんだか二人とも腹がすいてなかったものだから』

「もう一時半すぎているじゃない。ユキちゃんのお昼ご飯は十二時から一時の間って、お母さんが決めたのに」

『いやー、そう厳密にしなくていいんじゃないか、体調のいい時は。お母さんは神経質すぎるんだよ。幸恵もそう言っている』

父親は幸恵を甘やかしている。甘やかすことで、普段の放置を帳消しにしようとしている。直子は憤然となる。二十一にもなる娘を、歓心を買うために甘やかしてどうするというのだ。母親が入院しているいま、父親しか幸恵に睨《にら》みをきかせられないのに。

「とにかく、二人ともまちがいなくちゃんと食べてよ」

『分かった』

直子が電話をしている間、谷村はほどよく離れたところに立って、行き交う人の群れを眺めていた。電話をしている人とは赤の他人です、という顔つきではなく、また、本当は受話器に一緒に耳を当てられるほど親しい間柄なんだ、といった素振りも見せない。直子はこの態度が気に入った。

直子が携帯電話をバッグにしまうと、谷村は近づいてきた。ほんの少し眉をひそめて、

「緊急事態発生？」

そう訊いたのは、直子がしゃべっている間憤然《ふんぜん》とした表情を続けていたからだろう。

「ううん。お昼ご飯にかんする単純質問」

「じゃ、ここを切り上げなくてもいいんだね」

「そうは言っても、ここにつっ立っているわけにはいかないでしょう、映画が始まるまでの二時間」

谷村は嬉しそうに微笑した。

「あそこはどう」

と、都会のど真ん中のオアシスである公園の名を挙げる。直子は軽く首をかしげた。

「冬の最中に散歩？」

「今日は十一月上旬並みの気温だって、天気予報で言っていたよ。うち、マンションだから、自然のあるところに行くとほっとするんだ」

「私は一戸建てだから、そんなでもないわ。秋になると毎日落ち葉掃きをさせられて、むしろ迷惑ね」

「いい環境じゃないか」

「やったことがないからそう言えるんです」

「そうそう。人間、経験のないことは想像力でおぎなうしかない。どうせ想像力を使うなら、悪い想像よりいい想像をしたほうがいい」

「谷村さんて、プラス思考ね」

「お誉めにあずかって光栄です」

「誉めたつもりはないけど」

「性格を診断された時、誉められたと解釈するのが僕の流儀だよ」

「ほんとプラス思考」

言いながら、二人の足は自然と公園のほうへむかっている。天気予報は当たっていて、冬のコートのまま歩いていると全身がほのぼのと暖かくなってくる。空の色が春を抱えているかのようにやわらかい。


公園には予想以上に多くの人がいた。この天気なら当然かもしれない。二人はあいているベンチを見つけるのに苦労した。公園まで二十分も歩いたので、直子はどうしても座りたい。夏になると蓮《はす》の花で埋めつくされる池のそばに、ようやく一つ見つけた。ただし、日陰だ。

「寒くなったら移動すればいいさ」

谷村はあくまで楽天的だ。

日の当たらない場所にいるせいでもないだろうが、話題は見せかけの季節ではなく十二月にふさわしい方向に流れていく。

「ウインター・スポーツはなにかできる」

「スケートがほんのちょっと、かな」

「僕はスケートできないなあ。スキーがいくらか」

「スキーよりスケートのほうがやさしくない、平らなところを滑るんだから」

「そんなことはないよ。スケートは氷の上を一枚の刃で滑るんだぜ。そこいくとスキーは、雪の上を板で滑ればいいんだから」

谷村がスキーの話を始めたのは、英語会のスキー旅行に直子を誘おうとしてのことだろうか。

「谷村さんもスキー旅行に行くの」

「英語会の話？　ううん、僕は行かない。旅行のこと、どうして知っているの」

「この間の忘年会の時、私の友人が誘われたんです、森下さんに」

なにか森下のことを訊き出せるかと、直子は思い切ってその名前を口にのぼらせる。

「友人て、きみと一緒に忘年会の席に現れた子？　積極果敢そうな子だったね」

「ええ。積極果敢です。好きな人にむかって猪突《ちょとつ》猛進して、それで結果はどうなるのかなあ」

あれから美沙緒と話をしていない。直子も忙しいが、多分美沙緒もなくした全財産をおぎなうためにせっせと働いているのだろう。しかし、直子がしたかった話は、美沙緒のことではない。

「広瀬さんは恋には消極的なんだ」

「なんでそんなことを言うんです」

「だって、ここまで連れ出すのにえらく苦労したから」

「あら、ほかの女の子にはこれほど手間取らなかったというわけですか」

「いや、僕の体験談ではなくて」

「ほんとかしら」

「その尖った声は、僕が過去に誘った女の子達に妬《や》いているからだと解釈していいのだろうか」

直子は赤くなる。赤くなるのは直子ではなく谷村であるべきだ。谷村はあんまりしょっている。そりゃあ、谷村といるのは不愉快というわけではない。むしろ、思いもかけず楽しい。だが、だからといって、本命が変わったわけではない。これ以上誤解をさせては谷村に悪いし、直子も困る。そろそろ真実を打ち明けるべきではないだろうか。

「谷村さんに妬くなんてことはありません。そんなことはありえませんよ。私、ちゃんと好きな人の情報を集めて、アタックしてみようと思っているんですから」

青い毛糸の帽子からなにかの生き物のようにちょこんとはみだした谷村の耳の筋肉が、ぴくりと動いたようだった。しかし、顔は平静をよそおっていて、からかうふうに、

「へえ。見かけによらず策謀家なんだ」

「お誉めにあずかって光栄です……ほんとに訊いてもいい？」

「なにを」

「私、森下さんのファンなんです。森下さんのことがいろいろ知りたい」

とうとう言ってしまった。頬が燃えるように熱い。百メートル競走をした直後のように心臓が打っている。

直子は横目で谷村を窺《うかが》った。谷村はさっきと同様、べつだん驚いた様子をしていなかった。静かな表情だった。いまの発言が直子にとってどんなに思い切ったものだったか、想像することもないようだ。

「それで、森下のなにが知りたいの」

低く訊く。

直子が森下を好きだと知って、谷村はショックではないのだろうか。だとしたら、谷村はなんのためにあれほど熱心に直子をデートに誘ったのだろう。アドレス帳に女友達の名前を一つふやすため、あるいは、一人でも多くの女性とデートするのが人生最大の目標なのかもしれない。どちらにしろ直子は谷村にとって不定冠詞の女性であって、定冠詞の女性ではなかったのだろう。谷村は天然もののプレイボーイなのだ。孤哀子の風上にもおけない。

森下のなにが知りたいか問われて、直子ははたと考えこむ。谷村と会っている目的を知らせてしまったのだから、もう遠慮や気兼ねはいらない。なんでも知りたいことを訊けばいいのだ。しかし、森下のなにを知りたいのか、直子はさっぱり思いつかない。かろうじて、森下のフル・ネームを知りたかったことを思い出す。

「森下さんのファースト・ネーム教えてください」

谷村は、そんなこと、などと笑ったりしない。ポンと放り出すように言う。

「剛《つよし》」

ようやく恋しい人のフル・ネームが分かった。

「森下剛」

口の中でころがしてみる。たいした感激はない。恋というのは情報ではなく実体なのだと直子は知る。谷村の口から森下の情報、名前や趣味や食べ物の嗜好《しこう》等々を手に入れるよりも、たとえ無言でも森下とこのベンチに並んで座っているほうがずっと多くのものを得るにちがいない、今日谷村について多くのことを得たように。

「ほかには」

谷村がうながす。なんだか自棄《やけ》っぱちの気分になって、直子は言う。

「森下さんの好きなタイプの女性」

言ってから、これはけっこう知りたかったことだと気がついた。

谷村はどうしてか眉をよせた。

「むずかしい質問だ。あいつのつきあっている子は千差万別で、どれが好みなんだかさっぱり分からない」

直子はびっくりした。

「森下さん、そんなにたくさんの子とつきあっているの」

「つきあっているというかなあ。誘われると、嫌と言えない性格らしくてね。だれとでもデートするよ、時間が許すかぎり」

直子は茫然《ぼうぜん》とした。それはまったくひどい性格だ。しかし、逆に言えば直子にも森下とデートするチャンスはあるということではないか。

「誘ってみれば。きっとデートできるよ」

谷村は簡単に言ってくれる。

「その結果、森下は広瀬さんが自分のさがし求めていた女性だと知って、ほかの子から誘いがかかっても二度と行かなくなるかもしれないよ」

直子は口をへの字に曲げて下をむく。

「その反対もありうるわ」

「それは仕方ない」

そう谷村は、溜め息をこぼすように切なく言うのだ。まるで、直子が谷村ではなく森下に恋をしていた事実を認めるしかない、とでも言ったかのように。

直子は、ふと自分のしたことを省みた。

「私、谷村さんがプレイボーイなんだと思っていた」

谷村にというよりも自分に言い訳するために、言う。

「もう何度も否定したはずだよ、それは」

「でも、とても積極的だったから」

「そうだね。こんなに積極的に女の子を誘ったのははじめてだ」

「どうして」

「積極的になったのかって？　本当のことを言うとね」一呼吸おいてから、「あの日、居酒屋に入ってきた広瀬さんを見た瞬間、この人しかいないって、思ったんだ」

「どうして」

「どうしてって……一目惚《ひとめぼ》れの理由を追及されても……」

「一目惚れ？」

直子は、ふとももに置いた両の手をぎゅっと握りしめる。

「ちがうわ」

「ちがうって、なにが」

「谷村さんは知っているはずよ。谷村さんは、私に自分と同じ匂いを嗅《か》ぎとったんだわ。それで私に親近感を抱いたのよ。それだけよ」

谷村は目の前で手を打たれたとでもいうように直子を見やり、それから急いで蓮池に視線を移して、それきり蓮池を見つめる。まるで来年の蓮の咲き具合を予知しようとしているかのような横顔だ。そして、口を開かない。匂いというのがなんなのか質問しないということが、直子の直感に確信を与える。

「そんなの、恋じゃない。恋だなんて認めないわ」

じゃあ、なんだと？　と谷村が訊いてくれないから、直子は言う。

「同病相憐《あいあわ》れむっていうの。もしくは、傷口を舐めあう、でもいいわ」

谷村は背もたれにぐんとよりかかって、空を仰ぐ。今度は明日の天気を占っている顔つきだ。いつまでもそうやって黙っているから、直子は谷村が肯定したのだと理解する。

楽しかった時間は終わった。直子はベンチから立ち上がろうとする。そろそろ冷えてきてもいた。

「帰りましょうか」

やっと、谷村が口を開く。

「映画の上映時間までまだ間があるよ」

「映画、見るの？」

「見ないの？」

「私達、こわれたような気がする」

「こわれるだけのものを、僕達はなにももっていなかったと思うけど。これからつくろうとしていたんだから」

「そういえばそうね」

それでも、直子は立ち上がる。谷村も立ち上がる。並んで歩きだす。

しばらくして、谷村は言った。今日の日差しのように穏やかな声で、

「広瀬さん、肝心な質問を忘れているんじゃない」

「なんのこと」

「森下の電話番号を教えなくていいの」

足をとめて、直子は谷村を見た。谷村も立ちどまった。谷村はちっとも痛みをこら

えている顔ではなかった。直子にたいする執着の正体が知れたからこんなことをこんなにもさばさばと言えるのだろうと、直子は考えた。

「教えてもらえるの」

「そりゃ、訊きたいと言われたら、断る理由はないからね」

「じゃあ、教えて」

谷村は、森下の自宅の電話番号をそらで言った。直子はそれを掌《てのひら》に書きとめた。手帳を持っていなかったせいだが、肉体の一部に彼の電話番号を記すのが幸せなんだという顔をしていた。

その後二人は、予定していたアメリカのアクション映画を一緒に見た。さらにそのあと、映画の批評をしながら（原子力発電所に飛行機を墜落させるのはいただけないな。細かいことにこだわらないのがハリウッド映画のよさよ。理屈ぬきで言えば、楽しめたよ。そうよ、楽しめたわよ）夕食をともにした。

二人の関係がこわれてしまったと思ったあとで、直子は実に五時間も谷村と同じ時間を共有したのだ。それはつまり、谷村が言ったとおり、二人の間にこわれるものがなにもなかったという証左なのかもしれない。しかし、谷村と別れて一人電車に乗った時、直子は座席の上で体がゼリーみたいにぐにゃぐにゃに崩れていくような深い孤独を感じた。一体どこから来た孤独だろう。突き詰めようとして、不意に、孤哀子という言葉に火花のような怒りを感じた。しかし、それはすぐに胸から消え、残っているのはやはり深い孤独なのだった。直子はもうなにも考えず、座席の上でぐにゃぐにゃになるにまかせていた。

直子が帰宅すると、幸恵がまだ起きていて、父親と一緒に居間でテレビを見ていた。すでに十時をすぎている。母親の決めた時間割りでは、一時間も前に蒲団に入っていなければならない。もっともこの数日、幸恵は自室でずっと夜更かししているようだった。お気に入りのタレントが出るわけでもないのに、深夜放送を見ているのだ。そして、しこたま下らない知識を仕入れているようだ。

「どうして寝ないの」

言葉と同時に、どうして寝かせないの、という抗議をこめて父親の顔を睨んだが、父親はそ知らぬふりをしてテレビを見ていた。

「いいじゃないの。それよりデートは楽しかった」

好奇心とも嫉妬ともつかない、ぎらぎら光るものを顔に漲《みなぎ》らせて、幸恵は訊く。直子よりはるかに子供っぽかったはずの幸恵が、このごろ、妙に大人の感情をもつようになったようだ。これも、深夜番組の影響だろうか。

直子は、ざらついたものが喉をおりていくのを感じた。電車で這《は》い上がってきた孤独は、まだ体に濃厚に残っている。

「楽しかったわよ」

直子の中に意地悪が頭をもたげて、そう答える。

幸恵は、明らかに羨望《せんぼう》で胸を詰まらせて、

「どんなことをしたの」

「どんなって、デートのお決まりのコースよ」

「私、デートのお決まりのコースなんて知らないもの」

すねた子供ではなく、すねた女の口調で言う。

直子は、テレビに視線をむけている父親が聞き耳をたてているのに気がつく。父親も少しは私のデートに関心をもっているのだ、と直子は発見した。父親は、出かける時にデートだと言っても気にする素振りもなかったから、直子がどんな男とどうつきあおうと無関心なのかと思っていた。友達の中にはボーイフレンドのことを父親にしつこく訊かれて嫌がっている子もいたが、直子はたまには父親に干渉されるのも悪くないと思っている。それって愛情があるからじゃない、というのが直子の理解だ。

　人が暖かくなるのに、そんなに大きな幸せはいらない。小指の先ほどの幸せでいいのだ。直子は素直になって、幸恵に説明する気を起こす。それはむしろ父親へむけた説明だ。

「お昼を食べて」

「お昼はなに」

「ハンバーガーとコーヒー。そのあと散歩して、映画を見て、夕飯を食べて」

「夕飯はなに」

「スパゲティとレモン・ティ」

「ずいぶん質素なメニューだね、お昼も夜も」

「そりゃ、学生同士の割り勘メニューですからね」

「割り勘なの」

「当たり前でしょう、男にひょいひょいおごらせる趣味はないわ」

「それから」

「それで帰ったの」

「それだけ？」

「それ以外になにがあるって言うの。デートのフル・コースじゃない。それに相手は、ただのお友達なんだからね」

直子は、「ただのお友達」という部分に力をこめる。父親の耳の筋肉がゆるんでいくのが見える。

幸恵は、ふーん、そんなものか、という顔をしている。直子は怪しんだ。一体、幸恵はデートにどんなことを期待していたのだろう。

じゃあ、私は？　直子は自分を顧みる。高校の時のデートは、好きな子と一緒にいられればどこでなにをしてもいいやという感じだったが、今日のはちがう。目的はたんに、情報の収集だ。そして、それは果たされた。

直子はそっと掌を見る。多少薄くなったが、そこにはしっかりと森下の電話番号が記されてある。この電話番号にいつ電話するだろう。明日か明後日か。少なくとも、今晩ではなさそうだ。心にこんなに疲労をためこんでいては、好きな人をデートに誘う気力なんか湧いてこない。

「寝ようよね、ユキちゃん」

直子は通りすがりに母親のような手つきで幸恵の頭を一撫《ひとな》でして、

「なによ」

という怒りの小さな叫びを聞きつつ、台所へ入っていった。

予想どおり、台所には昼と夜の汚れた食器が山積みになっていた。直子は掌の数字を乱暴な走り書きで紙に写しかえてから、水仕事にとりかかった。


母親は、クリスマスの翌日に退院した。十日近い入院だった。直子はこれでようやく家事から解放される。冬休みを自分のために使えるわけだ。もっとも退院の日付は、すでに十二月で一番重要なイベントの終了を宣言していたが、だからといって、直子が母親の退院を喜ばない理由にはならない。ともかく肩から荷をおろせるのだから。

直子は母親を迎えにいくつもりだったが、治癒した母親は一人で大丈夫だと言った。そして昼すぎ、入院中にふくれあがった荷物とともにタクシーで帰ってきた。

母親が一歩玄関に足を踏み入れると、家の空気がぴんぴんと立ち上がった。弛緩《しかん》していた天井も壁も床も建具も家具も、家のなにもかもが急に生き生きとした輪郭をとり戻した。どろがこびりついたままの三和土《たたき》やふわふわと綿ごみの舞う廊下を、直子は恥じた。

母親の頭にあるのは、掃除のゆきとどかない床や家具などではなく、幸恵だ。ところが幸恵は、母親の帰宅によって家の中で唯一生彩を失ったものだった。

「幸恵は」

「部屋」

「具合悪いの」

「でもないと思うけど」

しかし、具合が悪くないわけはないではないか、母親が久々に帰宅したのに玄関に出迎えることもなく部屋にこもっている以上。いくらなんでも、母親の顔が見たくなくて閉じこもっているわけではないだろう。

「腹水はなくなったって言っていたわよね」

階段を駆けあがりながら、母親は訊く。母親のあとからついていきながら、直子は答える。

「うん。お医者さまがそう言っていたって、ユキちゃんが」

「あなたが直接先生から聞いたんじゃないの」

「だって待合室にいたから」

「一緒に診察室に入ってくれればいいのに」

え、二十一歳にもなる人に付き添って診察室の中まで入るの？　直子はぎょっとする。

「幸恵、ただいま」

母親がとびきりの声を出して、幸恵の部屋のドアをあける。部屋の中は薄暗い。南の窓からあふれるほど日が入っている時刻なのに、夕闇にまぎれこんだようだ。窓にカーテンをひいているのだ。

「どうしたの。具合悪いの」

母親も直子も、足音を殺すようにして幸恵のベッドに近づく。

「ううん。ちょっと眠いの。おかえり、お母さん」

頭まですっぽりかぶった蒲団から、幸恵は本当に眠たげな声を出す。

「寝不足なの？」

母親は、小声で直子に訊く。直子も小声で返す。

「いや、そんなことはないはず」

この二、三日は、幸恵がこっそり夜更かししている気配はなかった。母親が帰ってくるのを前に自重したのだろう。

蒲団の中で、幸恵はしょっ中体を掻いている。母親の心配げな表情に、険しさがにじみでる。

「掻くのよしなさい、幸恵」

「だって、痒《かゆ》いんだもの」

母親は、頭上の電気の線をひっぱって部屋を明るくし、それからいきなりかけ蒲団をはいだ。幸恵は慌てて蒲団をひっぱり戻そうとしたが、無駄だった。幸恵にたいして顕微鏡のように精密になる母親の眼が、幸恵の全身をたちどころに精査する。

「むくんでいるみたいね」

「そんなことないって」

母親の手が電光石火のようにのびて、トレーナーの上から幸恵の腹部をまさぐる。

「張っているんじゃないの」

つまり水がたまっているんじゃないかということだ。

「ちょっとよ」

「いつからなの」

「今日からよ」

母親は怪しむ目をするが、それ以上追及しない。

直子は、かたわらで息を殺している。幸恵の体調が悪いなんて思ってもみなかった。どの程度悪いのだろう。直子の管理がゆきとどかなかったからなのだろうか。姉の不調は、直子の責任なのだろうか。

「まあ、とにかく安静にしていることね」

母親は幸恵に蒲団をかけ直した。

「うん。ちゃんとそうしているよ」

幸恵は、舌足らずな口調で言う。また子供っぽさをとり戻したみたいだ。直子は反感を覚えたが、黙っていた。

「ほしいものはない」

「ない」

「喉は渇いていない」

「うん、いらない」

「そう。じゃ、おやすみ」

母親は電気を消し、直子をうながして、幸恵の部屋を出る。母親の顔つきは、ひどく悩ましげだ。

「私のいない間、幸恵はちゃんと規則正しく暮らしていたんでしょうね」

直子と一緒に下におりながら、母親は訊く。咎《とが》める調子はなかったが（そう、主語は幸恵であって、直子ではない）、直子の胸は重くなる。できの悪かった試験の採点が始まるのに似た不安。しかし、家事をあずかっている間の直子は、落第点をつけられるほど悪い仕事ぶりではなかったはずだ。

「献立は残っている？」

直子は、食堂のテーブルに無造作に置いておいたノートを母親にさしだす。必要なカロリーやら蛋白質やらを計算するために、あらかじめ献立をたて、食品分析表と首っぴきでメニューを決めていた。その過程は汚いながら記録として残っている。

母親はテーブルの前に腰を落ち着け、ノートを読み解きはじめる。それはまさしく読み解くという感じで、眉間《みけん》に深々と皺《しわ》が刻まれている。玄関にはまだ入院中の荷物が山をなしているのに、そんなことは頭から消えてしまったかのようだ。よく片づいた家が好みの母親には珍しいことだが、もちろんこれは整理整頓よりもなによりも幸恵が優先するということを意味している。これが直子の問題だったら、なにもかもうっちゃってこんなふうにのめりこんだかどうか。

直子は、母親のかたわらに座っているうちに、古い記憶を呼びさまされた。

何歳か覚えていないが、とにかく学校にあがる前の幼児だった。直子は近所の犬に追いかけられ、裸足《はだし》になって家に逃げ帰った。母親はちょうど玄関前の廊下をみがいていた。直子は廊下に駆けあがり、母親に泣きつこうとした。とたんに、怒鳴られた。「駄目、裸足でおうちに上がっちゃ」母親は幼い娘がなぜ泣き帰ったか訊くこともせず、まず床の汚れを阻止しようとしたのだ。そのあとどうなったか、直子は覚えていない。足の汚れをふいてもらってからタイミングのずれた気分で母親の胸に顔をうずめたか、それとも外でサンダルを脱いだことを問答無用で叱られて犬どころではなくなったか、あるいは母親を恨みながら外に逆戻りしたか。

犬にかまれて怪我をしていたわけではない。追いかけられて恐かっただけだ。些細《ささい》な出来事だ。しかし、些細でも確実にそれは直子の心の底に澱《おり》として沈んだ。

「この日から、塩分の計算が雑になっているわね」

不意に、母親が言った。直子は、回想からひき戻された。大学で教授から質問を受けた時よりも緊張して答えた。

「報告しなかったかしら。前の日の診察で、ユキちゃんの腹水がなくなっていたんで、塩分の特別な摂取制限はしなくていいと思って。ユキちゃん、少しは味のついたのが食べたいというご要望だったから。でも、このあとも塩分はひかえていたよ」

「そうね。このメニューだと、薄味にしてさえいれば七グラム以上の塩分を摂《と》っていることはないでしょうね。でも、幸恵のあの腫《は》れぼったい顔は気になるわね」

母親は首をかしげ、つぶやく。

「明日にでも先生に診てもらったほうがいいかもしれない」

やっぱり落第点か、と直子は肩をすぼめる。そりゃあそうだ。にわか主婦なんだから、二十年間幸恵にかかりきっていた母親のようなわけにはいかない。そう開き直ればいいのだが、完全主義の母親の影響か、簡単にはふっきれない。幸恵が規則正しい生活から脱線してしまった。母親ではなく妹なのだからあまり強いことは言えないにしても、もう少し手綱をひきしめることができたのではないか。いまになって反省することはいろいろある。

「お茶でもいれようか」

母親の横にいづらくなって、直子は立ち上がる。

母親はノートから目を上げ、直子をやわらかく見た。

「ご苦労さま」

お茶をいれることへのねぎらいか、と思ったが、母親が続けて、

「この十日近く」

と言ったので、直子はほっこりと胸が暖かくなるのを感じた。では、落第点をつけられたわけではなかったのだ。

「直子がこんなにやってくれるなんて思ってもみなかったわ。ちょうど年末で友達ともいろいろ会う予定があったでしょうに。ありがとうね」

直子は照れた。親からまともに礼を言われた記憶はない。誉められたことは多い。幸恵の入院が終わるたびに、誉められた。おとなしくお留守番してえらかったわね。

おとなしいもなにも、泣いても母親が幸恵のもとから帰ってくるわけじゃないと諦めていただけだから、誉められても嬉しくなかった。

「家族だもの。大変な時に力をあわせるのは当然じゃない」

「やさしいわねえ。小さい時からしっかりして手のかからない子だったけど、このごろは積極的に手伝ってくれるから、本当にありがたいわ」

「いやあねえ、もう」

直子は涙ぐみそうになって慌てて母親に背中をむけ、薬缶《やかん》に水を入れはじめた。

この時、不吉な徴候がなにもなかったわけではない。幸恵がむくんでいるという事実は、この数年、充分な注意をはらわなければならないことだった。だが、直子は甘く見ていた。幸恵はしょっ中腹水がたまっていた。一度だけ腹部に針を差して抜き取る治療を受けたが、たいがいは利尿薬を飲む程度でおさまっていたし、安静と食餌《しょくじ》療法で治ることもしばしばだった。今度もそれですむと思っていた。なんといっても母親が現場に復帰したのだから。しかし、間もなくそれが大きなまちがいだということを知らされることになる。だが、その日はともかく、平和だった。

母親が帰ってきて、肩の荷がおりた。すると、勇気が湧いてきた。夜、直子は、この間から机の引き出しで眠っていたメモ用紙をひっぱりだした。十桁《けた》の数字が記された用紙。

メモを見ながら、携帯電話のボタンを慎重に押していく。

呼び出し音が鳴りだした。直子の心臓がじょじょに高鳴っていく。呼び出し音五回で、受話器がはずされた。

『もしもし』

森下の声だ。直子はこわれるほど強く携帯電話を握りしめた。

「私、R大の英語サークルの広瀬直子と申します」

ひどい早口になった。森下は聞きとれなかったようだ。直子はもう一度名前をくりかえしたが、すっかり逆上してしまった。

「すみません、突然お電話して」

『いや、いいですけど』

「このお電話番号、谷村さんからうかがったんです。谷村さんが森下さんをデートに誘ったらいいっておっしゃったので」

森下はびっくりしたようだった。直子もびっくりしていた。好きな人をこんな言い方でデートに誘う人間などいるだろうか。

『あなたはええと、谷村の友達なの？ それで、谷村が僕を紹介したの？』

完全に誤解された。もはや直子は破れかぶれだ。

「谷村さんと私が友達かどうかはべつにして、私が森下さんと会いたいと言ったら、谷村さんもいいじゃないいって言ったので」

『ふーん……』

「会っていただけますか」

断られるに決まっている、そう覚悟して、直子は申しこんだのだ。

しかし森下は、なんのためらいもない声であっさりと言った。

『いいですよ』

直子は拍子ぬけして、しばらく絶句していた。

森下がだれにでもOKを出すというのは本当だったのだ。もしかしたら、いや、確実に森下は、直子の顔も覚えていないはずだ。そんな相手からデートを申しこまれて承知するなんて、気が知れない。

『いつ、どこで』

森下が訊いている。気が知れなくても、とにかく直子は森下とデートしたいのだ。

直子は壁のカレンダーを見る。

「あ、ええと」善は急げだ。「明日なんかどうでしょう」

『明日？』

予定を調べているらしく、少し時間をおいてから、

『うん。あいているからいいですよ。待ち合わせの場所は……』

谷村と待ち合わせたのと同じファスト・フード店で、午後二時。

電話を終える間際に、直子はどうしても訊きたくて訊いた。

「森下さん、私の顔を知っていますか」

K大のアイドルは慌てたりしないし、嘘もつかない。

『いいえ。でも、そちらのほうで僕を見つけてくれるでしょう』

「はい」

しかし、念のため、お互いの携帯電話の番号を教えあった。

『じゃ、明日』

電話を切ったあとも、直子は長い間茫然としていた。信じられなかった。春からずっと暖めていた思いが、たった一本の電話でかなってしまった。

もちろん、かなったのはデートをするという部分だけだ。それ以上のものになるということは、谷村も保証してくれなかった。あとは直子の努力次第だ。いや、魅力次第というべきだろうか。

谷村のことを思い出すと、唇から微笑が消えた。ちがう。そもそも、直子は笑っていなかった。森下とデートの約束ができた。嬉しいか。嬉しいはずだ。しかし、胸がゴム毬《まり》みたいにはずんでいるということはない。まったくない。

多分、驚きのほうが大きいからだ。あんまり簡単にことが運んでしまったので、なにか嘘のような気がするのだ。明日、実際に森下が待ち合わせ場所にやってきたら、直子の心臓は胸から飛び出しそうなほどはずむだろう、きっと、おそらく、もしかしたら。

翌日、幸恵は一段と浮腫《ふしゅ》がすすんだようだった。直子の目からも、それははっきりと見てとれた。もっとも、幸恵はなんでもないと言い張った。寒くなって外に出る機会が減り、運動不足で太ったのだ、と主張した。しかし母親は、そんな抗弁には耳を貸さなかった。強引に幸恵を病院へ連れて行った。予約なしの診察なので、二時とか三時になるはずだった。

直子は母親に午後から外出すると言ったが、どこへ行くとは言わなかった。

森下とデートだ。自分の心を奮いたたせようと、何度もくりかえした。期待に反して、喜びは湧いてこなかった。お洒落に気合いを入れる意欲も起こらず、この間の忘年会の時と同じセーターとスカートとイアリングですませた。それでも谷村とのデートの時よりは気を使った服装にしたのだから、と心の中でおかしな言い訳をしたくらいである。

森下は、待ち合わせの時間に十分ほど遅れてやってきた。扉を押しあけて入ってきた森下に、直子は手を挙げて合図した。森下はすぐに了解して、直子の隣の椅子にすべりこんだ。

「ごめん、待った」

ついいましがたまで直子の顔も知らなかったくせに、全然違和感なく微笑を見せる。まるで恋人を待たせたみたいにやさしく謝る。

服装は着古した革ジャンとジーパン。直子の気合いのこもらないお洒落がよそいきすぎて見える。森下は、だれとデートする時でも普段着なのかもしれない。望んで会うのではなく、望まれて会うのだから。

間近で森下の顔を見ると、目がくらみそうだ。やはり森下は美しい。否定しようもなく美しい。直子の胸は小鳥のように震えだす。だが、それが恋と名付けられるものかどうか、直子には分からなかった。ほんの少し前にはこれこそ本物の恋だと信じていたにもかかわらず。

「どこへ行きます」

訊かれて、ディズニーランドが頭に浮かんだが、谷村の時と同じ理由で森下とも行くべき場所ではないと思った。谷村とのデート・コースがなんとなく口をついて出た。

「公園の散策はどうですか」

「今日は寒いよ」

「寒いの嫌いですか」

「場所によりけりだな。スキー場なんかだと寒くても平気。人間て、そういうものじゃない」

「公園はつまらない？」

「木があるだけじゃん」

「そうですね」

と相槌《あいづち》を打ったが、なんだか白けた。もともと熱く燃えていたわけではないが、ルーティン・ワークをこなしている気分になってくる。

「じゃ、映画は」

「ごめん、映画を見るほど長くはいられないんだ」

「ダブル・ヘッダーってわけですか」

「そういう野暮は言わないように」

注意された。好きな人とはじめてのデートで失敗したら落ちこみそうなものだが、そうならない。直子は、自分が行きたい場所を提案することにした。

「マンガ好きですか」

「けっこう好きだけど」

「じゃ、マンガ喫茶行きましょう」

森下はちょっと虚をつかれた表情をする。その顔も素敵だ。

森下はどんな表情も素敵だ。眺められるために存在しているような顔だ。ずっと眺めていたい。そう、こんなに間近ではなく、たとえば四角い箱の中にでもおさまっていれば、何時間でも見飽きることはないだろう。

ファスト・フードの店から近くのマンガ喫茶へ移動する短い時間に、直子は疑問を口にした。

「どうしてタレントにならないんです。そういう誘いはないんですか」

「なくはないですよ。でも、興味ないから」

「じゃ、ほかになりたいものがあるんですか、科学者とか」

「理工学部に進んだのは、ただたんに数学と物理が得意だったから」

なるほど。

「ロボットを作りたいから理工学部、なんていうはっきりした目標は僕にはないですよ、谷村とちがって」

谷村という固有名詞に、直子の肩の筋肉がぴくりと反応する。直子はしかめ面をした。私は谷村を意識しすぎている、と直子は思った。それもこれも、あの人に孤哀子の陰を見てしまったからだ。いやだいやだ、と直子は首をふり、森下はそんな直子を横目で怪しむように一瞥《いちべつ》する。


マンガ喫茶で、直子と森下は一心不乱にマンガを読んだ。

直子はいまだにマンガが好きだ。幼いころ、幸恵が入院している間、父親が直子の気を紛らわせるためによくマンガを買い与えたのが始まりのようだ。悲しい時寂しい時、ずいぶんマンガに慰めてもらった。

幸恵は、マンガを読まない。もっぱら小説だ。それも、日本文学全集とか世界名作全集とかにおさめられていそうな、直子がとても読む気になれない小説が多い。母親が買ってきて幸恵に押しつけつづけたせいで、そういう趣味になったとしか思えない。そういったものは現代社会とはなんのかかわりもないにちがいなく、だからこそ幸恵は精神的成長が足りないのだろう。

直子がマンガを読んでいると、母親からしょっ中、「お姉ちゃんを見習ってブンガクを読みなさい」と言われた。すると、よけいにマンガにたいする愛着が湧いた。さすがに最近はマンガ雑誌を定期的に買うなんていうことはしないが、マンガ喫茶には時々来て、手当たり次第に読む。

べつにチェックしていたわけではないが、森下が手にするマンガは料理ものが多かった。意外な発見だったが、だからどうということもない。

一時間半ほど、二人はそこにいた。それから森下が、ほかの人の読書の邪魔にならないように小声で言った。

「そろそろ出ようか」

直子は素早くうなずいた。あまりに素早かったせいか、森下は苦笑した。

「これからどうするの」

「家に帰ります」

「じゃ駅まで一緒に」

駅につくと、それでもう森下とのデートはおしまいだ。いまになって惜しくなった、ということはない。しかし、直子はことさらゆっくりした歩調で歩き、森下もそれに合わせた。

今日は楽しかったなんていう言葉は、社交辞令としても出ない。楽しませてくれたのはマンガであって、森下ではない。もちろん、次の約束など喉もとまでのぼることさえなかった。

黙って歩くのも気詰まりだから、直子はとりあえず話題を見つけようとする。

「ロボットといっても、いろいろありますけど、谷村さんの作ろうとしているロボットはどんなんなんでしょう」

ほかに話題はないのか。ない。少なくとも直子には見つけられない。それにしても、森下相手に谷村の名前を持ち出すなんて馬鹿げていないか。べつに知りたいことでもないのに。

森下はほかの男の名前を出されても、にこやかにしている。

「あいつの場合、すごく具体的なんだ。介護用ロボットが作りたいんだって。いままでも介護用ロボットは研究開発されているけどね、人間になり代われるほど高性能の介護をするロボットを考えているみたいだよ。これからの高齢化社会を睨んで、けっこう末はベンチャー企業のオーナーになったりして」

森下は冗談にしてしまうが、直子は心の深いところを揺り動かされて黙っている。

介護用ロボット。やはり孤哀子らしい発想だ。病院をロボットに任せて親はほかの子供の面倒を見ればいい、などという動機が底に隠れていたとしても、直子は驚かない。もっとも、谷村はいまでは最初の動機なんか忘れてしまって、純粋に弟の介護をしてくれるロボットの開発を目指しているのかもしれない。親はいずれ年をとって介護ができなくなるわけだから。とはいえ、谷村の弟は、親が年をとったその先まで生きられる病気なのだろうか。

「あのー、よけいなお節介かもしれないけどね」

道半ばで、森下はいくらか言いにくそうに切り出した。

「なんでしょう」

「谷村はすごくいい奴だよ」

もう会いたくないという言葉を予想していた直子は、軽いカウンターパンチをくらった気分だ。

「なんか家庭に問題があって、時おり約束をやぶったりするけど、悪気があってやっているわけじゃないから。当てつけみたいに僕と会うなんてことは、やめたほうがいい」

森下はひどい誤解をしている、と直子は思った。しかし、誤解されても仕方のない昨日からの直子の態度ではあった。

立ちどまってしまった直子に気がついて、森下も立ちどまる。二人はむかいあって見つめあった。本当にきれいな人、と直子は思う。

「谷村さんの家庭の問題がどんなものか、知っていますか」

誤解です、というかわりに、直子はそう言っている。森下は小首をかしげた。

「弟が病気のようなことを言っていたけど、くわしくは知らない。あまり立ち入っても、なんだと思うから。もし知りたいんだったら、思い切って本人に訊いてみたら。僕に訊ねるよりも、本人にぶつかってみるほうがずっといいと思うよ」

直子はほんのりと微笑した。きれいなだけじゃなくて、いい人だ、と思う。マンガ喫茶でただ並んで座っていたのは惜しかった。もう少し話をすればよかった。いや、けっこうあれもいい時間だったかもしれない。惚《ほ》れ直しそうだろうか。分からない、いまのところ。

「ありがとう。そうしてみます。でも、また会ってもらえますか」

森下はかすかに困った顔をし、それから言った。

「谷村がどうしてもそうしろと勧めるなら、ね」

直子は吹き出しそうな、泣きたいような、奇妙な感情にとらえられた。

「私にも忠告させてもらえますか」

「なんだろう」

「その八方美人、命とりになるかもしれませんよ」

森下は白い歯を見せて笑った。

「実は僕もそう思っているんだ」

二人は駅構内に入り、気持ちよく右と左に別れた。


直子が家に帰りついたのは、五時すぎだった。冬の空はすでに昏《く》れきっている。だが、家に明かりはついていなかった。母親と幸恵は、まだ病院から帰っていないらしい。少し遅すぎるような気がする。

しかし、直子は慎重さを欠いていた。森下と過ごした二時間足らずが、直子を高揚させていた。なんだか世界を軽がると泳ぎきれそうな自信をもったのだ。なんといっても、あんなに美しく一時は真実の恋の相手だと思った人を前に、自然にふるまうことができたのだ。これは、十九歳の女性としてはちょっとした人生の勝利ではないだろうか。だから直子は、家に起きているわずかな異変を嗅ぎとることができなかったのだ。

暗い中、居間に入って電気をつけると、だれかがテーブルの前にいた。直子は悲鳴をあげそうになって、すんでのところでそれが母親だと気がついた。

「どうしたの、明かりもつけないで」

「ああ、直子」

ふりかえった母親の顔は、天井から落ちる光を打ち消すほど暗かった。ここでようやく、直子は胸騒ぎを感じた。

「ユキちゃん、悪かったの？」

「入院したわ」

「えー、そんな……でも、すぐ退院できるんでしょう、いつものように」

「あの子ったら……」

母親は唇を噛む。その様子があまりに悔しげであり、辛《つら》そうでもあったので、直子の胸騒ぎは強まった。

「なにがあったの」

「お母さんが入院中、あなたが病院に来ている隙《すき》をぬって、出歩いていたんですって」

「なんですって」

「遠出したってわけじゃないけど、駅前まで行って、ビデオ屋さんや本屋さんを覗いたり、喫茶店に入ってケーキを食べたり。お蕎麦《そば》屋さんにも行ったって言っていたわ。ちゃんと味のついた蕎麦つゆで食べたかったんですって。あの子、もともとしょっぱいものが好きだったから」

「そんな」

直子は力が抜けて、椅子に座りこんだ。母親がいない間のあの努力、食品成分表と首っぴきでメニューを考え、食材のひとつひとつを秤《はかり》にかけて調理したあの苦労、あれはまったく無駄骨だったというのか。外でほかのものを食べていたのでは、いくら栄養価の計算をし、塩分を抑え気味にしたって、体調を管理できるわけがない。

「ほんのちょっとでいいから普通の女の子の暮らしがしてみたかったんだって言われ

ると、怒るに怒れなくなってしまうけれど、でも毎日のように出歩いていただなんて、自分の体がどうなるか分からないはずはないのに……」

母親は両の掌の間に顔をうずめた。

本屋を覗いたり喫茶店に入ったりだなんて、病気の悪化とひきかえにするにはあまりにつまらない行為だ。我が姉ながらなんて愚かなんだろう。直子は腹が立ってたまらない。自分の努力がちっとも幸恵に伝わっていなかったのかと、落胆する気持ちもある。

「それで、ユキちゃん、どの程度悪いの」

直子は恐る恐る訊く。母親は顔から手をはずしたが、目線は下をむいたままで、

「そろそろ真剣に移植を考えなきゃいけないって」

直子は耳を疑った。いずれは肝臓移植をするしかないだろうとは聞いていた。しかし、これほど早くその時を宣告されることがあるとは想像もしていなかった。母親の徹底した管理で、幸恵はまだ五年も十年もこの生活を続けられるものだと思っていた。

「だって、たった一週間かそこらで……ううん、ついこの間の検査の結果は良好だったんだから、ほんの何日かの間にそんなにひどくなるなんて」

「ちがうのよ。この間の検査で腹水がひいたなんて、嘘だったのよ」

「嘘」

茫然と、くりかえす。たった二音声から成る語の、なんと重く沈鬱《ちんうつ》な響きか。

「むしろ悪くなっているから、充分注意するように言われていたのよ。よく見ていれば、お医者さまに注意をされなくたって分かったでしょうけど、肝心な時にお母さんが肺炎なんかで入院してしまったから」

母親は自分自身を責める口調だった。しかし直子は、自分が責められているような気がした。幸恵の様子を注意深く見守っていれば、幸恵の体調が決して順調でないことは分かったはずだ。母親は一目で浮腫を見抜いたのだから。

母親の入院中、直子は幸恵の全身観察をしていただろうか。ただ食事にだけ気を配って、当の幸恵の顔色や動きには無関心だったのではないだろうか。そうだ。明らかに無関心だった。食事に気を配ったのだって、義務感以外のなにものでもなかった。やらなくてすむものなら、やりたくないというのが本音だった。たった十日やそこら頑張ればすむことだったのに。

涙がこぼれてきた。

「私がもっと気を使っていれば……私がいない間に出歩いていたのだって、ようくユキちゃんを観察していれば分かったはずだわ。靴やコートや、そういったものにきっと痕跡《こんせき》が残っていたでしょうに」

母親もそう思っているらしい。そんなことはないわ、と否定しない。私のせいだ、と、直子は心に深い穴をうがつように、くりかえし思った。

「泣かないで」

母親は多少苛立った声を出した。

「大変な手術だけど、手術しさえすればもっと元気になれると先生はおっしゃるんだから。それこそ本屋さんに行くのも自由だし、食べ物だってほとんど気を使わなくてよくなるらしいわよ」

母親は空元気を出して言うが、直子は移植には大きな問題が立ち塞がっていることを知っている。

肝臓は、だれが提供するのだろう。だいぶ前に脳死移植法ができたけれど、初の脳死移植が行なわれるまで一年以上かかった。脳死はそもそも少ないし、ドナー・カードを持った人間が脳死することはさらに少ない。つまり移植用の臓器（なんだかゾッとする表現だ）は、圧倒的に不足しているのだ。幸恵はおそらく、生体部分肝移植ということになるだろう。そのほうが手術の成功率も高いと聞いている。たとえ脳死者の臓器が出ても、両親は生体肝移植を望むかもしれない。生体肝移植のほうがほんの紙一重ほど生存率が高いという理由で。

母親が肝臓の一部を提供するのだろうか。しかし、肝臓を提供するのは一種の手術なわけだから、どんなに健康な人でも半月やそこらで普通の生活に戻ることはできないだろう。母親が半月も寝込んでしまったら、肝臓移植後に厳重な管理を必要とする幸恵をだれが面倒見るというのだろう。そもそも、今回幸恵の病状が悪化したのは母親が入院したためだったということを思えば、母親ぬきの看病など考えられない。

父親が肝臓の一部を提供するのだろうか。しかし、父親はこの家の経済の要《かなめ》だ。肝臓の提供に危険はないと言うが、万が一ということはどんな場合にもある。もし父親の身になにか起こったら、幸恵のような病人を抱えて一家は立ち行かなくなるだろう。第一、リストラの脅威にさらされている父親は、肝臓を提供するためのたった半月かそこらも銀行を休めないかもしれない。

すると、と直子は考える。私が肝臓を提供しなければいけないのだろうか。

　まさか、まさか。両親は次女の肝臓を望んだりしないだろう。両親にとっては長女だけが大事な娘で次女はどうでもいい存在、あえて言うなら長女のスペア程度に思っているわけではないだろう。次女は次女として大事に思っているはずだ。しかし、それならば、直子は自分から申し出なければならないのだろうか、私の肝臓を使って、と、そんなふうに。

　条件を挙げていけば、一家の中で臓器提供の一番の適任者は直子だった。一家を支えているわけでもないし、看病に力を発揮するわけでもないし、なにより若くて健康だ。しかし、自分から臓器の提供を言えるだろうか。肝臓をえぐりとられる場面を想像するだけで、直子は勇気が後退していくのを感じた。

「肝臓を提供する」と真っ先に口火を切ったのは、父親だった。

　これにたいして、母親はこう訊きかえした。

「銀行を休めるんですか」

「この日のために、有給休暇をためこみ、サービス残業をしてきたんだ。銀行だって、少しは大目に見てくれるだろう」

母親はそれ以上異を唱えなかった。

直子は意外だった。父親がなんと言おうが、母親が自分がドナーになると言い張ると信じていた。さらに、父親が自分からドナー役を買って出るとも思っていなかった。父親が家の厄介事から逃げているのではないかと、直子は疑っていたのだ。しかし、それは誤りだった。父親はいざという時、家族をかばって真正面に出てくる人だったのだ。直子は父親を見直した。

こうして、ドナーは父親というのがなんの問題もなく決まるように思われた。しかし、検査の結果、父親の肝臓は人に分け与えるには不充分であると決めつけられてしまった。病気というほどのことはないが、長年の不摂生――自分の意思によるというよりは勤め先の都合による不摂生――がたたって、肝臓がだいぶ弱っているというのだ。

それで、次に母親が候補者になった。しかし、これまで直子は知らなかったのだが、母親の体にも黄信号がともっていたのだ。だいぶ前から、薬の服用が必要なほど高血圧症が進んでいたらしい。しかし母親は、薬が肝臓を傷めて使い物にならなくなることを恐れて、必要な薬を飲んでいなかった。

母親の場合は、それ以外にも問題があった。幸恵と母親の体格の差である。幸恵は痩せているが、背だけは父親の遺伝子を継いで直子と同じくらいひょろひょろと伸びてしまった。母親は背も低く、体も細い。ＣＴスキャンの結果、母親の肝臓は、幸恵に分け与えるにはいくぶん小さいことが判明した。

いくぶんであって、大分ではないから、絶対駄目ではないらしい。しかし、血圧のこともあって、医者は母親の肝臓を使うことを躊躇《ちゅうちょ》した。

幸恵は、年末年始の一時帰宅が許されなかった。ずっと病院のベッドですごした。直子は毎日、幸恵の見舞いにかよった。幸恵の好きなタレントが出ているテレビ番組のビデオを持っての見舞いだった。年末年始は彼の出る番組が多く、幸恵の体に差し障りのないように小出しに運んだ。それが、幸恵には悲しいらしかった。

「生で見られるといいのに」

生といっても、本当の生番組は十数本のうちの一本あるかないかだ。ほかはどうせ録画番組である。ビデオと差はないようなものだ。それでも幸恵は、テレビで放送されているその時に見たいらしい。ほかの人より遅れて見なければならないのが悔しいのだ。また、見られないと思うからよけい悔しさが募るということもあるだろう。

「お母さんの入院中、あんな無茶をしなければよかったのに」

直子はつい文句を言いたくなる。年末年始は両親の検査がまだ終わっていなくて、両親ともに肝臓提供に黄信号がともるなんて思ってもみない時期だった。それでも、肝臓移植のことを考えると、直子はブルーな気分になった。幸恵が自分のほんのつまらない欲望を満たそうとしさえしなければ家族はこんな悩みを抱えなかったのにと、恨む気持ちがどうしても動いた。

幸恵は、後悔するのでもなく、すまながるのでもなく、それどころか憮然とした表情になった。

「私だって、たまには普通の女の子のしていることをしてみたかったのよ、せめてお母さんの監視から解放された時くらい」

あの時と同じだ。テレビの深夜放送を見たことを直子が指摘した時と同じ、開き直った態度だ。

「あんなこと、普通の女の子ならしてみたがるほどのものでもないわ」

直子は、精一杯の嘲《あざけ》りをこめて言いかえした。言うべきではなかったかもしれない。しかし、直子は幸恵が反省していないことで腹を立てていた。ばかばかしい欲望がどんな結果を引き起こしたか、幸恵に気がついてほしかった。

幸恵の目に激しい感情が漲ったが、それは恥辱のようにも憤怒のようにも見えた。

「そりゃあ、着飾ってコンパやらデートやらに行くナオちゃんには、本屋さんで読みたい本を探すとか、ビデオ屋さんで面白そうなビデオを見つけるとか、喫茶店でケーキ・セットを注文するなんていうことは、とるに足らないささやかなことかもしれないわ。私だって、ボーイフレンドがいれば、一人でケーキを食べてなにがおいしいのかしらと思うでしょうよ。大学へ行けていれば、本屋さんであれこれ探すなんてことはしち面倒くさい日課の一部だったかもしれないわ。でもあの時、ナオちゃんの目を盗んで私にできたのは、それだけだったのよ。それだけでも、とても貴重で楽しい時間だったわ。私、後悔していないし、あなたにあの時間をけなされたくなんかないわ」

か弱い声のせいで淡々と聞こえるが、それにもかかわらず、まなじりを決して戦いにのぞむような苛烈《かれつ》な意志のほとばしりが感じられた。

直子は圧倒されそうになった。しかし、だからといって、納得できたわけではない。

「そうは言ってもひきかえがこれなんだから、とてもわりに合わないと思うわ」

「じゃあ、どうすればわりに合ったって言うの。テレクラに電話して男でもひっかけろって？」

健康な娘がみんな遊びにだけうつつを抜かしているとでも思っているのだろうか。悪いテレビの見すぎだ。

馬鹿！　と怒鳴りたいのをこらえて、直子はいくぶん言葉をやわらげた。少なくとも本人はそのつもりだった。

「さっきユキちゃんはお母さんの監視から解放された時くらいと言ったけれど、そもそもそんな考え方がまちがっているのよ。お母さんは好きこのんでユキちゃんにずっとついていたわけじゃないわ。そうしなければこうなると分かっていたから、そうしていたのよ。ユキちゃんはたった数日でお母さんの努力を無にしてしまったのよ。少しはそのへんのことも考えてほしいわ」

「たくさんよ」

空間を小さな鋏《はさみ》で切り裂くように、幸恵は叫んだ。直子は驚いて口をつぐんだ。

「もうこんな生殺しの状態はたくさんよ。死ぬなら死ぬ、生きるなら生きる。そうなりたいのよ、私は」

こうなることを覚悟しての無茶だったというのだろうか。直子は幸恵を見つめた。幸恵は見つめかえした。重病人とも思えない、強い眼差しだった。

覚悟ではない、期待だ、と直子は考え直した。ある程度状態が悪化しなければ、医者は幸恵の肝臓移植に踏み切ろうとしなかった。つまり幸恵は、母親のゆきとどいた看病のおかげで、いつまでも生と死の宙ぶらりんの状態に置いておかれるしかなかった。それは、幸恵にとってはたまらないことだった。だから、母親の看病が途切れた時に、一か八かの賭けに出た。そういうことなのか。

だが、手術は、だれかが肝臓を提供するということを意味する。生体肝移植でなかったとしても、その場合はだれかの脳死を待つことになる。そういったことにためらいを感じなかったのだろうか、幸恵は。だとしたら、ひどいわがままではないか。幸恵が本音をさらすなら、直子も本音をぶちまけたい。幸恵がどんなに恵まれているか。どれだけ親の愛情を独占してきたか。直子がどんなに悩んでいるか。

だが、ちょうどその時、両親が病室に入ってきた。

直子より一足遅れて来た両親の手には、一抱えの荷物があった。父親がつねに仕事を優先させている広瀬家では、正月は一家そろって祝うメイン・イベントだ。幸恵が入院していようがなんだろうが、正月の一家団欒《だんらん》を幸恵からとりあげるわけにいかない。いや、両親の中では、幸恵が入院しているからこそよけいに毎年の行事を欠かしてはいけないという意識が働いたのだろう。荷物をとくと、重箱やら正月用のあらたまった食器やらが現れた。重箱のお節料理は、いつも以上に華やかに盛りつけられていた。

幸恵はたいして嬉しそうにもしなかった。気怠《けだる》げな様子で、

「私、食べていいの」

「もちろんよ。ちゃんと先生に相談して、病院の食事とのかねあいで作ったんだから」

「そう」

はじめて幸恵は、無邪気そうな微笑をこぼした。そして、直子の口から恨み言が出る機会は失われた。

　こういうことのあったあとに、父親も母親もドナーとしてむずかしいという結果が出た。医者は幸恵を、脳死者が出た場合の肝臓移植のリストに載せることを提案した。しかし、母親は、自分がドナーとして不適当だとは思っていなかった。医者にぜひとも自分の肝臓を使ってくれと懇願した。

「私の肝臓は健康なのですから。肝臓だけでなく、どこも悪いところはないのですから、血圧がちょっと高いだけで」

　かたわらにいた直子は、医者の視線がちらりとこちらに流れたような気がした。医者の目は、そこに健康な肝臓がある、それを使えばいい、そう言っているようだった。

　直子は喉に熱い塊を感じた。言わなくちゃ、私の肝臓を使ってください、そう言わなくちゃ。心は焦るが、熱い塊が邪魔して言葉をとおしてくれない。直子は、棒のようにその場につっ立っていた。

　医者も母親も、直子のほうをひそかに窺っているようだった。しかし、どちらも直子の肝臓をCT検査してみようとは言い出さなかった。あくまでも直子が言い出さなければならないことらしかった。

その夜、直子は夢を見た。

幸恵が黄色いような茶色いような顔色で蒲団に横たわっていた。いま現在の幸恵そのものなのだが、夢の中で直子は幸恵をまだ二つか三つの幼女と見立てていた。母親がどこからか現れた。赤ん坊を抱いている。赤ん坊は写真で見て記憶している直子自身だった。

「ほら、もうじき楽になるからね」

母親は、直子を幸恵に見せて言った。幸恵の目に期待が走る。母親は直子をまな板の上に載せた。いつの間にか医者が使うメスのような刃物を握っている。そして、魚でも下ろす手つきで赤ん坊の直子の腹部を裂いた。直子の血と悲鳴が飛び散った。

直子は自分の悲鳴で目を覚ました。はじめから夢だと知りながら、なおかつ血の味のするおぞましさをひきずっていた。

家の中からは物音ひとつ聞こえてこない。幸恵が入院してしまったのだから、暗い天井のむこうに人の気配がないのは当然だ。両親の部屋は直子の部屋の真上ではないから、ちょっとした音くらいではお互い聞こえない。

直子は思い出す。幼いころ、この静寂がどれほど恐かったか。悪い夢を見て目覚めても、かたわらにぬくもりはない。二階に行けば両親がいるのは分かっていたが、その二階がまるでどこか異国の地にあるように遠く感じられた。恐くて寂しくて、直子は数え切れないほどの夜を涙で濡らしたものだ。

さすがにいまは、どんなに恐い夢を見ても母親が恋しいことはない。

直子は夢の余韻をひきずって、考える。幸恵の看病だけで手一杯だったはずの母親が直子を生んだのは、将来幸恵に新しい肝臓を与えることを計画していたからだろうか。何年か前に、アメリカで骨髄移植の必要な娘のために子供を生んだ母親がいたことを考えれば、あながちありえない話ではない。名前にしても、長女には「幸」が「恵」まれるという願いをこめたのに、次女には「直」だ。「長女を直すための子」という意図がこめられているように思えてならない。

そんなはずはない、直子はすぐに打ち消す。二十年前には生体肝移植の技術はなかった。そういう技術ができるだろうことを予測してもう一人子供を作るほど、両親に先見の明があるとは思えない。

しかしそれなら、どうして両親はもう一人子供を作ったのだろう。幸恵の命が短いだろうと予想して、スペアを用意しておこうと考えたのだろうか。それとも、できてしまったので、殺すに殺せなくて生んだのだろうか。

直子は、自分が宇宙の深淵《しんえん》に宙吊りになっている気分がする。自分の存在に確かな手触りが感じられない。もしかしたら、幸恵の影なのではないかと思えてくる。影というよりも肝臓かもしれないと考え、直子は苦い笑いをこぼす。

ふと、谷村のことが脳裏に浮かぶ。同じように病気のきょうだいを抱えている谷村。幸恵の入院するB大学病院で、もしかしたらまた谷村に出会うのではないかと思っていたが、いままでのところそういう偶然にはめぐりあっていない。谷村の弟は退院してしまったのかもしれない。

谷村なら、この辛さを分かってくれるのではないだろうか。介護をするロボットを作ろうと理工学部に入った谷村なら。

谷村に会いたい、突き上げるような思いにかられる。電話に手をのばして、いまにも谷村の番号を押しそうになる。しかし、すんでのところで思いとどまる。直子は、同病相憐れむことを拒否したのだ。いまさら傷口を舐めてほしいと泣きつくなんて、虫がよすぎる。

それに、彼の場合、兄ではなく弟が病気なのだから、直子のような悩みはないだろう。少なくとも、きょうだいのスペアだとか影だとか考えずにすむはずだ。だから、谷村がいまの直子の気持ちを分かってくれるとはかぎらない。谷村と傷口を舐めあう関係とは言い切れないのだ。ならば、逆に、たよってもいいのではないかとも思う。だが、とめる心が働く。自分と同じ陰を背負った人に近づくのは、理屈ぬきで恐い。

谷村にはたよれない。直子は一人でこの問題を解決しなければならない。

直子は、パジャマの上からそっと右の上腹部に掌を当てる。この下に肝臓がある。この肝臓の三分の一かそこらを切り取る。夢の中のようにまな板に載せられて、いきなりメスをつきたてられるわけじゃない。麻酔をかけて眠っている間にすべてが終わるのだ。二週間もすれば、普通の生活に戻れるという。簡単なことじゃないか。それなのに、なにを躊躇しているのだろう。なぜたった一言が言えないのだろう、「私の肝臓を使って」

言えない、言えない、言えない。

直子は暗い天井にむかって、空虚な二階にむかって、声なき声をあげる。

生体肝移植には母親の肝臓を使うことで、話が進んでいった。母親の血圧は薬によってコントロールされている。短い期間の服薬が肝臓に害を与えることはない、むしろ高血圧こそが問題だと医師から言いふくめられて、母親は欠かさず薬を飲んでいる。手術は、二月が予定された。大学が春休みに入り、直子が全面的に家事をひきうけられるからだ。つまり、それまで直子には迷う時間があるわけだ。母親をドナーにした結果万が一起こるかもしれない不幸と、自分の肉体の一部を裂く苦痛と、そのどちらをとるか。

幸恵は今回ばかりは簡単に退院を許されず、入院生活を続けている。直子がお気に入りのタレントのビデオを持って見舞いにいっても嬉しそうな顔を見せず、なんだかしんと静まった表情で窓の外を眺めていることが多い。直子は、その静けさに無言の圧迫を感じる。あなたはそんなに健康なのに、どうして私に健康の一かけらを分けてくれないのかしら。幸恵はそんなことは一言も言っていないのに、直子は勝手に沈黙の声を聞く。

後期の試験が間近なので、直子は美沙緒と一緒に勉強に励むことにした。そのため、病院にかよう時間がなくなった。幸恵の見舞いにいけない口実ができて、直子は内心ほっとしていた。

　美沙緒はお気楽だ。年末いくつものアルバイトをこなして、K大の英語会のスキー旅行に参加した。篠崎先輩も一緒だった。しかし、いまだに篠崎先輩との仲は進展していない。そろそろしびれを切らしだしている。篠崎先輩を諦めて、スキー旅行で一緒だったK大生とつきあおうかどうしようか。その人からつきあいを申しこまれたのだ。もちろん相手は森下さんじゃないからね、と注釈をつけるのを、美沙緒は忘れなかった。

　直子は、森下を懐かしく思い出した。森下と一緒にマンガ喫茶へ行ったのはもう何年も昔のような気がする。それほど、直子は森下のことを思い出すことがなかった。

「私、年末に森下さんとデートしたのよ」

「えー、なーに。いままで言わなかったじゃないよー」

「隠していたんじゃないのよ。忘れていたのよ」

「大好きな人とのデートを？」

「大好き、と言えるかどうか分からなくなっちゃって」

直子は、森下にたいするいまの思いを口にのぼらせる。美沙緒は好奇心に目を輝かせる。そして二人は、試験勉強もそっちのけでおしゃべりに夢中になる。

「なあに。デートして、がっかりさせられたの」

「ううん、がっかりすることはなにもなかったよ。いい人だったしね。なんたって、だれからデートを申しこまれても、うんて言うんだから」

「えー、それってサイアクかも。だからだ」

「というわけでもないよ。そうじゃなくて、最初に思っていたのとちがうんだよね。美沙緒、篠崎さんを好きって、どんな感じ？」

「そりゃあ、篠崎さんのことを思うと胸がきゅんと苦しくなるわ。でも、もういいんだ、ふりむいてくれないんだもの。こーんなにかわいいのに、なにが不足だっていうんだろ」

「それよ、それ。私の森下さんにたいする思いで不足しているの」

「それって？」

「私が森下さんにとって大勢の女の子のうちの一人でしかないと分かっても、恨めしく感じられないの。じゃあふりむかせてやろうっていう意欲も湧かないしね。パッションがないのよね、恋に不可欠のパッションが」

「それって、単にあなたの性格の問題じゃないの」

「ちがうよ。私、普段はそんなに淡泊じゃないもの」

「そうかなー。直子って、けっこう冷めたところがあるよ。おとなびているというか」

「じゃ、これはおとなの恋なの」

ヤダー、と美沙緒は笑いころげる。

美沙緒とすごす時間は、直子にとって安息だった。彼女といると、恋やお洒落が最大の関心事のごく平凡な女の子の気分でいられる。しかし、試験が終わってしまえば、直子はいよいよ問題に正面からむきあわなければならなくなる。その日はもう間近に迫っている。


明日から試験が始まるという日、大学へむかう電車の中で携帯電話が鳴った。なんの警戒心もなく出ると、

『幸恵がいなくなった』

母親のうろたえた声が耳をつらぬいた。

「どういうこと」

電車の中だということも忘れて、大きな声で訊きかえした。母親が理性を失うことは滅多にない。幸恵を育てる過程で、些細なことでは驚かない性格に変わったのだろう。母親がうろたえているということは、『幸恵がいなくなった』のはたんに幸恵の姿がベッドにないことを意味するだけではないはずだ。

『服も靴もなくなっているの。あの子ったら、外に出てしまったのよ、この寒空にコートも着ないで』

「また喫茶店とか本屋さんに行っているのかしら」

『うちに帰ったのかもしれない。この二、三日とても帰りたがっていたから。直子、家にいてくれる』

「私、もう電車に乗っているのよ」

『え、いまどこ』

直子は窓の外を見た。今度停車するのがB大病院の最寄り駅だ。

「お母さんが車で家に帰ったほうが早いわ。私、病院の周辺を捜す」

『分かった。病院の周辺は、看護婦さん達も捜してくれているから』

「うん」

駅についた。直子は電車をおりた。

眉間に皺がよってくるのをとめられない。幸恵はどこまで人騒がせなのだ。もうじき大変な手術を受けるというのに、外をコートもなしに出歩いて、風邪でもひいたらどうするのだ。直子の春休みを逃したら、手術のための家族の負担が大きくなる。それくらい、二十一にもなって分からないのだろうか。親が憐れんで甘やかしたから、まるで小学生みたいな精神回路を身につけてしまった。

風が冷たい。空を見上げると、雪でも降らせそうな鉛色をしている。直子は、本気で幸恵の体が心配になった。早く見つけ出さなければならない。

この駅の周辺は、宏大《こうだい》な公園と高層住宅から成っている。店らしい店は駅ビルにしかない。

直子はまず、駅ビルの小さな書店を覗いた。一目で見渡せる店内に、幸恵の姿はなかった。ファスト・フード店やコーヒー・ショップも捜したが、いなかった。

駅ビルを出て、右手の宏大な公園に目を走らせた。手前はモニュメントを設置した空間だが、その奥には林が広がっている。夏ならば快い空間だが、林はいま、葉を落とした木々が鉛色の空に救いを求めるように細く尖った枝をむけている。幸恵がこんなところにいるとは思えない。いたとしても、捜し出すのは容易ではないだろう。

　しかし、直子はほかにどこへ行っていいか分からなかった。なにしろ、なにもない駅前だ。なにもしないではいられないが、捜す場所もないとなると、せめて公園でも捜すしかない。幸恵も外へは出たもののどこへ行っていいか分からなくて公園に入ったかもしれない、と、思いついたというよりは言い訳をしながら、公園に入っていく。

　冬の公園に、人影はほとんどない。直子は足早に公園の中を行く。徒労だ。幸恵がこんなところにいるわけはない。もしいたとしても、こんな広い公園だ。見つかりっこない、ベンチにでもじっとしていてくれればべつだが。

　ベンチにじっとして……ふと、見やった彼方のベンチに女性が一人、肩をすぼめて座っていた。コートも着ていない。凍え死んでしまう。そう思った瞬間に、直子はベンチにむかって走りだしていた。幸恵だ。なんてことだろう。

幸恵は、直子がそばに近づくまで気がつかなかった。足もとを見つめて彫像のように動かなかった。

直子は既視感にとらえられた。以前にもこういうことがなかっただろうか。小学校のころ、幸恵が姿をくらまして、みんなで手分けして捜した。直子が児童公園で幸恵を見つけた。幸恵は滑り台のてっぺんで、じいっと地面を見つめていた。なんだかすごく高尚なことを考えているような感じがして、直子は声がかけられなかった……。

そうだ。確かにあった。ただ、幸恵が姿をくらましたのかどうかは記憶が不鮮明だ。二人で公園に遊びにいったという単純な図式での出来事だったかもしれない。遊んでいる最中に幸恵は突然、人生を悟ったのではないだろうか。少なくともそういう顔つきだった。そして直子は、そんな姉に畏敬《いけい》の念を抱いたのだ。その後、姉はちっとも聖人らしいところを見せてくれず、直子は畏敬の念ごと、この出来事を記憶の奥深くにしまいこんでしまったけれど。

思い出に浸っている時ではない。姉は聖人ではなくしょうもない病人だ。

「なにしてんのよ、こんなところで」

直子はいきなり怒鳴りつけた。

幸恵は直子を見上げ、ふわっと花が咲くように微笑を広げた。

「見つかっちゃった」

「なにが見つかっちゃったよ。鬼ごっこじゃあるまいし。一体どのくらいここにいたの。風邪ひくわよ」

直子は、自分のコートを脱いで幸恵に着せかけようとした。幸恵は手でそれを払いのけた。

「いいよ、ナオちゃんが風邪ひいたら大変」

「馬鹿言わないで。ユキちゃんがひいたほうがもっと大変よ。もう間もなく手術をするっていうのに」

「手術しないよ」

さらりと言葉が出たので、直子は意味をつかみそこなった。幸恵はくりかえす。

「手術しない。私、天寿をまっとうしようと思う」

「なによ、それ」

幸恵は立ち上がり、石畳を平均台の上でも歩くように歩きだす。両手を広げ、無理に縁に沿って歩こうとするため、少し足もとがふらついている。

「天寿は天寿、天から授けられた寿命よ。あんまり不自然な医療は受けないでね、死ぬ時が来たら、死ぬの。もうずいぶん天寿に逆らったような気はするけど、いまから心を入れかえても遅くはないでしょう」

直子は茫然として、しばらく言葉もない。幸恵が肝臓移植を受けないと言い出すなど、思ってもみなかった。幸恵はいつでも命に貪欲《どんよく》なのだと思っていた。いや、幸恵の命に貪欲だったのは、両親か。幸恵は治療を拒まなかった。しかし、拒まないということは受け入れるということと同義ではないだろうか。

「どうして急にそんな……」

「急でもないんだよ。ずっと考えていたんだよ。無理に肝臓移植したって、どこまで元気になれるか分からないっていうし、ずっと免疫抑制剤は飲まなきゃならないし、そのあと何十年も生きられるという保証もないし。数えてみたら、このまま天寿をまっとうするのとどっちがお徳でしょうという感じ。賭けてみる価値はないと判断したんだ」

直子はふと思いつく。

「お母さんの血圧が高くて心配だから、それで移植を断念したの」

幸恵はそれには答えずに、立ちどまって空を見上げる。

「雪」

ふわふわと、綿毛のような雪が空から落ちてくる。はじめは雲の一角で気紛《きまぐ》れで落としたようだったのが、たちまち空のすべてから降ってきた。じっと見つめていると、雪が落ちてくるのではなく、自分が空に吸いこまれている錯覚が起きる。

ひとひらが、軽く開いた口に入った。心地よく冷たかった。

「きれいね」

「きれい」

と呼応しかけて、直子は我に返る。

「風邪ひくよ。病院に帰ろう」

もう一度自分のコートを着せかけようとすると、幸恵は幸恵とも思えないほど敏捷《びんしょう》に逃げた。

「私が肺炎になったら、すぐに人生を終えられると思うな」

こんな人生、と低く幸恵はつけくわえる。

直子は不安にかられた。

「ユキちゃん、自殺する気なの」

「ちがうよ。肺炎は病死だよ」

幸恵が死ぬ。死ぬ気でいる。

幸恵の存在しない世界を、直子は想像しようとする。できない。幸恵のいない世界など、想像できない。だって、直子が生まれた時すでに幸恵はそこにいたのだから。両親を独り占めしているのを羨むことも、わがままな振る舞いに腹を立てることも、そこに幸恵が存在するからこそできるのだ。幸恵が存在しなくなったら、一体だれを恨んだり怒ったりすればいいのだろう。だれを心配し、だれを愛《いと》おしめばいいのだろう。つかみどころのない不安定な世界に落ちこんでいく気がする。

「死なないでよ」

直子は幸恵の体を抱きしめた。今度は幸恵は逃げなかった。

体中、冷えきっている。そして、こわれそうなほど華奢《きゃしゃ》だった。まるで針金と綿でできた人形のような肉体だ。こんなに心細い体だったのかと、直子は驚いた。

幸恵をまともに抱きしめたのは、これがはじめてではないか。生まれてこの方、直子は幸恵とつねに半歩の距離を置いて接していたように思う。

「帰ろう、ともかく」

「うん」

幸恵は素直になった。二人でコートを肩にはおり、一人の人間のように歩いた。

「ベンチでなにを考えていたか、分かる？」

「なにを考えていたの」

「だれかが私を捜しにきてくれるかどうか」

「捜すに決まっているじゃない。みんな心配して捜していたのよ」

「捜してくれないような気がしていた」

「どうして」

「いつも迷惑かけるばかりだから」

「そうだよ。自分の体も顧みない無茶ばっかりして」

幸恵はウフッと小さく笑って、指先で目尻をぬぐう。直子は、綿と針金でできたような幸恵の肩をいっそう強く抱きしめる。神経がショートするような不安の感情が、その肩先から直子の中に流れこんでくるようだった。

人が死を前にしているとはどういうことか、直子ははじめて思いやった。実感することはできないにしても、おぼろな手触りは感じられそうだった。宇宙に宙吊りになっている気分の直子より、いっそう辛いことだろう。宇宙からまさに消えようとしているのだから、未来永却《えいごう》、わずか二十一年在っただけで。

体の底から熱い思いがこみあげてきて、直子をいたたまれなくさせた。なにかしないではいられない。なにか言わないではいられない。

「大丈夫だよ、私の肝臓あげるから」

直子はとうとう口にした。

幸恵はかすかに首をふった。いらないという意味なのかどうか。しかし、言葉に出して断ることもなければ、喜ぶ素振りも見せなかった。

その夜、直子は父親と母親を前にして、決意を口にした。

「私の肝臓をユキちゃんに使って」

反射的に、父親と母親は顔を見合わせる。その表情から、直子がそう言い出すのを二人が待ちかねていたわけではないことが分かる。そうだろうと予想してはいたが、直子は安堵《あんど》してさらに続けることができた。

「ユキちゃんが肝臓移植を受けたくないと言い出したのは、お母さんの体に問題があるからだと思う。もしお母さんの体に万が一のことがあったら、たとえユキちゃんの手術が成功しても、ユキちゃんは心の底から喜べないでしょう。私がユキちゃんの身でも、きっとそう感じたと思う。健康な私の肝臓なら、ユキちゃんも安心して手術を受けると思うの。だから、私の肝臓を使って」

直子の言葉が終わるか終わらないかのうちに、母親がぴしゃりと蓋《ふた》をするように言った。

「あなたにそんなことをさせられないわ」

父親もうなずく。

「そうだ。せっかく健康で生まれた直子の体に傷をつけるわけにはいかない」

「これからあなたは結婚して子供だって生むんだから。あなたの未来までめちゃくちゃにするわけにはいかないわ」

予想以上の反応だった。直子は、両親のこの言葉を聞きたくて肝臓の提供を言い出したような錯覚にとらわれそうだ。しかし、もちろんそんな狡猾《こうかつ》な意図はない。直子はますます、幸恵を救うのは自分だという決意を強くする。

「健康体なら肝臓の一部提供はなんの問題もないって、先生が言っていたじゃない。子供を生むのと肝臓切除は、全然関係ないと思うよ」

　子供を生むなんてまだまだ先の話で、実感が湧かない。しかし、親にとっては重要事項のようだ。

「子供を生むというのは母体にとって大変な負担なんだからね。甘く見ちゃいけないわ。生体肝移植は始まってそんなにたっていないんだから、体への影響がすべて確認されたわけでもない。とくに母体への影響なんて、だれも保証できないでしょう。お母さんの血圧を心配して自分がドナーになると言ってくれているんだと思うけど、高血圧くらい心配しなくていいのよ。薬を飲むようになってから安定しているし。先生から幸恵にちゃんと説明してもらうから、直子はよけいなことは考えないの」

「でも、ユキちゃんが承知しなかったらどうするの」

　母親と父親は同時に溜め息をついた。それが悩みの種だ。幸恵は、聞き分けのない幼児のようだった。移植手術を受けないと言い出したら、もうだれのどんな説得も受けつけなかった。なにがそんなに幸恵を頑固にしているのか、いつも身近にいる母親にもさっぱり分からないのだ。

「きっと一カ月も入院しているものだから、自棄《やけ》を起こしたんだわ。病院にいれば、いやでもいろいろな情報が耳に入るしね」

「なにかあったのか」

「あったといえば、そうね、ちょっと、あったかしら」

「どんなこと」

父親と直子に見つめられて母親は少し口ごもるふうにして、

「実は、病院で知りあった患者さんが亡くなったのよ、二、三日前」

「同じ病気か」

「いえ、血液の癌」

直子にも初耳だった。「じゃあ」と、父親は関係ないという顔つきをしたが、直子にはそうは思えない。その人は男性なのではないだろうか。

「どういう人なの」

「三十代の女性。もとはキャリア・ウーマンとかで負けん気の強そうな人だったんだけど、病気には勝てなかったのよねえ」

聞いた瞬間に直子が想像したような、恋の相手というわけではなかった。しかし、もう一つの可能性がある。

「その人って、骨髄移植かなにかは？」

「うん。それがうまくいかなくて、ね」

「ああ……」

幸恵は、移植手術に落胆したのか。

移植拒否が母親の身を気遣ってのことばかりでないようだと分かって、直子はいくらか気持ちが楽になった。しかし、そうだとすると、なおさら幸恵を説得するのに手間取るかもしれない。どうやって幸恵に手術の有効性を信じさせればいいのか。

それこそ、直子の主要組織適合抗原系《ＨＬＡ》を調べるのが重要な鍵になるかもしれない。強力な免疫抑制剤が開発されて以降、移植手術でＨＬＡの型の一致はそれほど重要視されなくなったという。だが、ＨＬＡは、一致しないより一致するほうがいいに決まっているだろう。術後の管理がそれだけやりやすくなる。それはとりもなおさず術後の生命の質《ＱＯＬ》を上げるということにつながるだろう。親と子のＨＬＡは五十パーセントしか一致しない宿命だけれど、きょうだい同士は運がよければ百パーセントの一致率を示す。もし直子のＨＬＡが幸恵と百パーセント同一だと分かれば、絶望してしまった幸恵の心を揺り動かすのではないだろうか。

大学の後期試験が終了した。

幸恵は相変わらず移植手術を拒んでいる。

直子は親の反対をおしきって、ＨＬＡの検査を受けた。ＨＬＡの検査といってもべつに恐ろしいものではなく、末梢血《まっしょうけつ》からリンパ球を採取されるだけである。

検査の結果は、直子が幸恵と同一のＨＬＡをもっているということだった。ＣＴ検査によって、直子の肝臓が幸恵に分け与えるのに充分な大きさだというお墨付きも得た。もっともこれは、幸恵と同じ背丈、幸恵より五キロばかり多い体重からいって、はじめから不安材料ではなかったのだけれど。

直子はこの結果をもって、幸恵を説得しにかかった。

「移植手術の失敗を心配する必要はないよ。ＨＬＡの型が一致している私の肝臓を使えば、きっとうまくいくから」

「私はべつに、失敗を恐がっているわけじゃないよ」

「じゃあなぜ」

「そんなにしてまで生きる価値が私の人生にはあるのかなってね、そう思うんだ」

「そんなの、最後までやってみなきゃ分からないじゃない」

「でも、結婚して子供を生むなんていう人生は私には来ないよ。賭けてもいい」

「結婚して子供を生むばかりが人生じゃないでしょう」

「じゃあ、キャリア・ウーマンになれって言うの。そっちのほうがもっとむずかしそう」

「だってほら、肝臓移植者の中にはスポーツ大会に出ている人もいるって話でしょう。なんでもはじめから不可能だと決めつけちゃ駄目だよ」

「私は人一倍軟弱に育てられたからね。遮二無二《しゃにむに》頑張っちゃうなんてこと、自信がない。なにかとりたてて才能でもあればまだしも、なにもないんだもの。移植してもしなくても、私には親のペットの役まわりしかできないよ。そんなの、価値があると言えない」

「その気分て、肝臓がすっかり弱っているものだから、精神に影響を与えているんじゃないの。私の肝臓を入れたらぱーっと心が晴れて、将来に夢をもてるかもしれないよ」

「ナオちゃんて、そんなに楽天主義者なの」

問い返されて、直子は言葉につまる。

直子は、自分がなぜこんなに熱心に幸恵を説得しようとしているのか分からなくなってきた。それはもちろん、手をこまねいたまま姉を失うのが嫌だからだ。だが、幸恵が意志を変えないとしたら？　どこまで押したら、充分やったということになるだろう。幸恵が死んだ時、後悔せずにすむだろう。そんなことを、心のはしで考えはじめている。直子は実は、姉を救うポーズをとっているというだけなのだろうか。

雪の日のあの熱い心を思い出す。あの時、直子は確かに幸恵を失いたくないと思った。しかし、いま現在はどうだろう。熱意が失《う》せかけているのではないか。幸恵があまりに頑固だから。いや、幸恵のせいだけではない。あふれるほどの情熱というものは、元来長続きするものではないのだろう。持続させるためには、大きなエネルギーが必要なのだ。

「自分の身に、絶対にまちがいが起こらないと、楽天的に信じている？」

幸恵が揶揄《やゆ》する調子で言っている。直子は、幸恵の顔を見直す。幸恵の目つきは、口調とは裏腹に真剣だ。

直子は、幸恵の心が読めた、と思う。幸恵は移植を受けたがっている。しかし、直子の肝臓を使うことには気後れがあるのだ。

「信じているよ。私、運は強いほうだから」

直子はできるかぎり軽やかに言う。

「でも、お父さんとお母さんは信じていないよね」

幸恵は、両親が直子の肝臓を使うのに反対なことを知っているのだろうか。幸恵の前でそんな話をしたことはないはずだが、幸恵は持ち前の勘のよさで察したのかもしれない。

「そんなことはないでしょう。お母さん達はユキちゃんが治ることだけを考えているんだから」

今度は、あらんかぎり力強く言う。

「でも、二人にとってはナオちゃんは健康なたった一人の娘なわけだから」

なんだか自分が二人の娘ではないような言い草だ。直子が羨むくらい大事にされているのに、感じていないらしい。それとも、幸恵の目からは、直子のほうが大事にされているように見えるのだろうか。直子はほんの束の間、人間の主観の相違に思いをはせる。

「肝臓を一部分とったからといって、健康でなくなるわけじゃないわよ。何度言ったら分かるの」

「でも、傷は残るよ」

幸恵は、低く、まるで脅すように言う。直子は、虚をつかれた。傷のことは考えていなかった。

「こんなふうに」

と、幸恵は手を腹部で逆T字形に動かした。

「とても大きな傷になるらしいよ」

ああ、そうなのだ。臓器の一部を切りとるのだから、当然腹部を切り裂かれるのだ。そして、その傷は二週間で復元する肝臓のようには癒えないだろう。いずれ薄くはなるにしても、一生直子の体に残るだろう。ひそかに自慢していた絹のような肌に継ぎはぎができるのだ、まるで使いふるしの布切れのように。それは鏡から目をそむけたくなるほど悲惨な姿にちがいない。

「それでもいいの」

幸恵は訊いている。

直子は、幸恵に試されているような気がした。病院から抜け出して寒々とした公園に座っていた時と同様に。体の醜い傷跡とひきかえにしても、姉に生き残ってほしい。その言葉を、幸恵はほしがっているのではないだろうか。だが、なぜ試されなければならないのだろう。幸恵は充分に愛されているだろうに、母親と父親に、そして妹に。何度試せば気がすむのだろう。

幸恵は両眼を全開にして、直子を見つめている。直子の心の底の底まで見透かそうとしているのではないか。

直子は弱気になってくる心をはねかえし、

「傷なんか、全然気にしないわ」と言った。

幸恵は、すべてを見透かす目を閉じた。

「勇気があるんだね」

直子の心を逆撫《さかな》ですることを言ってくれた。

翌日、幸恵は病院の屋上から飛び降りて、死んだ。

部屋に、乙女の祈りが流れる。もう不要だから契約を解除しようと思いながら、それすら億劫《おっくう》でベッド脇の充電器に置いたままだった、その携帯電話から流れている。だれからの電話だろう。

直子は気怠く机の前から立って、携帯電話をとりあげた。

『もしもし』

聞き覚えのある声だ。かつて何度も話をしたい会いたいと思いながら、その都度自分を抑えてきた、その人の声だった。しかし、それももう遠い過去の話のようだ。実際には、その人と一緒に冬の公園を散歩してからまだ二カ月しかたっていないのだけれど、二人の間に大きな相違ができてしまった。谷村はまだ病人のきょうだいをもっているはずだが、直子にはもういない。直子の上に、幸恵はもういない。

「お久しぶり」

『元気？』

谷村相手に嘘を言う気になれないから、直子は黙っている。

『じゃなさそうだね』と、谷村は続けた。『森下から話を聞いたんだ』

「森下さんから？　なにを」

『もうちょっと順序よく言うと、美沙緒さんという人から森下に、広瀬さんが元気がないから慰めてやってくれと電話が行って、森下から僕にお鉢がまわってきたんだ。森下は、僕と広瀬さんの関係を誤解しているみたいで……この携帯の番号も森下から教えられた』

直子はなんと言っていいか分からない。幸恵の死を、直子は美沙緒にさえ明かしていない。美沙緒から電話が来ても、話がはずまないし、遊びの誘いも蹴るばかりだ。だから、美沙緒も異変は感じているのだろうけれど、まさか家族が自殺したとは思いもつかないようだ。彼女が想像するのはせいぜい恋愛問題のこじれで、そのほうが直子もありがたい。下手な同情は苛立つばかりだから。

『なにがあったの』

訊かれて答えようとすると、涙があふれそうになり、逆に訊きかえす。

「弟さん、元気?」

『うん。まあまあかな……お姉さん、元気じゃないの』

さすがに勘がいい。泣かないために、直子は訊きつづける。

「弟さん、なんの病気なの」

今度は、谷村が絶句する。

「あ、言いたくないならいいんです」

『いや、そんなことはないけど』

谷村は血液の病気を挙げる。母親を経由して伴性遺伝する病気だ。それは遠くない昔、治療薬によってすさまじい薬害を引き起こした病気でもある。直子は、谷村の弟も薬害を受けたのだろうかと思い、しかし踏みこんで訊ねようとは思わない。本人が言い出すまで訊くべきではないと、自分を翻って見れば、分かる。

『確率的に言えば、病気をもった遺伝子が僕に伝わるか伝わらないか、五分五分だった。結果的には僕は健康なX染色体をもらったんだけれど、弟と立場が逆転していても、なんの不思議もなかったんだ。運命って、いたずらなものだよ』

幸恵の病気は遺伝性ではなかった。だから、直子がそういった運命のいたずらを感じることはなかった。それはありがたいことなのか、ありがたくないことなのか。

「弟さんは自分の身代わりになったって、そんなふうに感じるの」

谷村は考えこむ気配だ。考えの尾をひきずりながら、答える。

『そういう考え方は、弟にたいして失礼だと思う。仮に、僕が病気で弟が健康体だったとして、自分の身代わりでお兄ちゃんが病気になったんだなんて弟が思っていたとしたら、冗談じゃないやって言いたくなるにちがいないもの。僕の人生は、どんなものであろうと、僕用にあつらえられたんであって、ほかのだれのためでもないだろう。弟だって、自分の人生は一から十まで自分のものだと思っていると思う、病気の遺伝子まで含めてね』

うん、そうだ、本当にそうだ、と直子はうなずく。

『僕はできるかぎり弟を守ってあげたいと思うけど、それは、自分の身代わりだからとかそんなんじゃなくて、そこにいて弟の苦しみを全部見てきたからだと思う』

弟の苦しみ。

姉の苦しみ。

直子の眼前に、幸恵の文字が浮かぶ。「ごめん」大きな紙にたった三文字。それだけ残して、幸恵は逝ってしまった。あの三文字に幸恵はどんな思いを託したのか。直子はああも考えこうも考え、結局読みきれない。谷村ほどはっきりと、直子は姉の苦しみを全部見てきたと断言できるのだろうか。

『でもね』と、谷村はいくらかためらう口調で言い足す。『僕達が普通の兄弟とちがうのは、弟が病気をもっている部分だけで、あとはどこにでもいる兄弟と同じだと思っている。よく喧嘩《けんか》もするしね。僕は、僕や広瀬さんがなにか特別の立場にいるわけじゃないと思うんだ』

同病相憐れんで直子を好きになったということではない、と、遠回しに言っているのだろうか。

なにか固いものが、解けて流れ出す。ずっと直子の心の中の一角にあったのにいままでそれと気づかずにいた、固いものだった。

直子は突然思い、思ったことをそのまま口にした。

「ね、会いたいわ」

『うん』

谷村は短く答えた。

この間と同じファスト・フード店で待ち合わせ、この間と同じ公園へ行った。

空は青く輝いているが、ひどく寒い日だった。満開の椿《つばき》も、ほころびかけた梅の花も、そのままの姿で凍《い》てついていた。

二人はベンチに座らず、園内を歩きつづけた。じっとしていると寒いからということもあったが、直子はおとなしく座っていられる気分でもなかった。

「姉が亡くなったの」

会った時にぽつりと言葉を落とし、

「自殺なの」

公園に入る間際にもうひとしずく落とした。姉が亡くなったと聞いた瞬間に灰色に染まった谷村の周辺の空気は、二言目で質量を倍にして谷村の全身にのしかかるようだった。谷村は空気をはねかえそうと肩を怒らせながら、抗しきれず頭を深く下げて歩いた。

「姉が亡くなった」から「自殺なの」まで長い時間があったが、その間、直子は泣いていたわけではなかった。口にしたら涙があふれるかと思ったが、目も鼻の奥も乾いたままだった。すでに一生分の涙を流しつくしてしまったのかもしれない。

一時間も黙々と歩いた挙げ句に、谷村は日溜《ひだ》まりのベンチの前で立ちどまった。

「座ろうか」

谷村が言うなり腰をおろしてしまったので、そのまま歩きたかった直子も隣に座った。

「ご両親はどうしている」

谷村は訊いた。聞こえなければいいと願っているような、低い声だ。

「見えないところではどうか知らないけど、意外にしっかりしています。覚悟はできていたのかもしれない。いつだって覚悟しているというところはありますよね、重い病気の家族がいると。だけど、自殺だなんて……」

駄目だ。一生分の涙を流したなんて思いちがいだった。直子は喉がつまって、口を閉じる。

ベンチに座って寒さに耐えていると、雪の日の出来事を思い出す。コートも着ずに病院を抜け出した幸恵は、あの時なにを考えていたのだろう。「自殺する気なの」と訊いた直子に、「肺炎は病死だ」と答えた幸恵。幸恵は本気であの時、肺炎で死ぬことを求めていたのだろうか。だが、幸か不幸か肺炎にはならなかった。風邪さえひかなかった。だから、屋上から飛び降りたのか。

しかし、死んでもいいと思うなら、なぜ移植手術に賭けてみなかったのか。期待どおりよくならないかもしれないが、期待以上によくなるかもしれない。自殺するかどうかは、結果を見てから決めてもよかったはずだ。家族に負担をかけるのが厭だったのか。それとも、もっとべつの考えがあったのか。

幸恵が亡くなってからくりかえし考えつづけてきたことを、谷村を隣においてまた考える。

「結局のところ、私には自信がないんです」

しばらくして涙が体の奥に後退すると、直子は言った。

「自信？」

「姉に肝臓を提供すると言った時の、自分自身の気持ちに」

「本心から、お姉さんに生きてほしいと思わなかったのではないか、と？」

「それは本気だった、と思う。姉が死ぬなんて、考えられなかった。病気のままずっと生きているような気がしていた。そうじゃなくて、姉に肝臓をあげると言った時、私の心が揺らいでいたんじゃないかと。本当はあげたくなんかなかったんだけど、そう言ったほうが自分の立場がよくなるから言ってしまったんじゃないかと。つまり、利己心から言ってしまったんじゃないかと」

「自分の臓器を人にあげるのに利己心はないでしょう」

「そうでもない。私、なんだか家族が姉と父と母でかたまっているようで、中に入っていけない疎外感をもっていたから。肝臓を姉にあげることで、とりもなおさず私は家の中で英雄になることを期待したんじゃないかって」

「家族の中で英雄になったって仕方がないでしょう。小学生ならともかく、もう大人なんだから」

谷村は言った。自分の判断があるのに相手をねじふせるようなところは微塵《みじん》もない、静かな声だ。

直子はうなずいた。谷村の言うとおりだ。幼いころは両親の愛が幸恵一人にだけ注がれているように思えて、幸恵が妬《ねた》ましかった。自分もどこか悪く生まれればよかったのにと思うことさえあった。しかし、大きくなるにつれ、健康とひきかえにしてまで親の愛情を争いたいと思う気はなくなった。とくに移植の問題がもちあがってからは、決して両親が直子を大事に思っていないわけではないことも確認できた。だから、家の中で英雄になりたいなんて、作り話だ。

「自分の中からことさら悲劇を紡ぎ出す必要はない、と思う」

谷村は、静かな声のままで言う。直子は唇を嚙む。谷村なら分かってくれると思っていた。実際、さっきから分かってくれているようだった。しかし、そうでもなかったらしい。当然か。谷村は、病気の弟に自殺されたことがないのだから。

「べつに悲劇の主人公を気取ろうとしているわけじゃありません」

じゃあなぜ、とは、谷村は問わない。痛ましいような辛いような目を、直子にではなくむこうがわの桜の木にむけている。立派な大木だけれど、花の蕾《つぼみ》はまだ固く閉ざされている。

不意に、直子ははじける。この人に会ってなにを訴えたかったか、いま思いついた気がする。夢中でしゃべりだす。

「取り消したいの。全部だわ、全部よ。あの時ああ思ったこと、こう思ったこと、全部取り消したいの。私、時たますごく姉にたいして不誠実だった。面とむかって不機嫌だったことはずいぶんあったし、そうでなくて、口ではやさしいことを言っている時でも、面倒だとか私の身にもなってとか、そんなことを一杯考えていた。それが、姉には見えていて、それで一番大事なところで、私の本心を信じきれなかったのかもしれない。私、逆T字形の傷、嫌だった。だけど、嘘を言ったわ。全然かまわないって。そんなこと言わずに、嫌だけど、でもユキちゃんを亡くすのはもっと嫌だから辛抱するって言ったほうが、ずっとずっとユキちゃんと心を通じあえたでしょうに。分かっていたんだもの、そう言ってほしがってるって。だけど試されているような気がしてやりきれなかったから、つい……」

　また涙が出そうになって、直子は言葉を切った。

　谷村は、かぶっていた毛糸の帽子をいつの間にか脱いで、手の中でくしゃくしゃにしている。脈絡もなく発せられた直子の言葉はつかまえにくかっただろうに、誠実な対応を見せようとする。

「家族なんだから、一緒に暮らしていたんだから、場面場面でいろんな感情をもって、当たり前だったんだと思う。人間の心って、玉葱《たまねぎ》みたいなもんじゃない。実じゃないと思ってどんどん剝《む》いていくと、しまいにはなんにもなくなる。結局、一枚一枚が全部実なんだ。お姉さんを鬱陶しいと思ったのも本当なら、お姉さんを愛しているっていうのも本当なんだ。そうだろう」

「そうよ。そうよ」

　またしても直子は告白の発作にとらわれて、息もつがずにしゃべる。

「でも、ユキちゃんには愛しているっていう部分の私の心が信じられたかしら。私、ユキちゃんの気持ちを汲《く》んであげようとしたことがなかった。中学を卒業するころからただ家と病院を往復するだけの生活に入ったのに、家の中でどんな気持ちで暮らしていたのか、察してあげようともしなかった。二十一歳という年齢の最中に家にしばりつけられていることがどんなに悔しいか、想像することもなかった。自分よりはるかに年下のような気持ちで接していたわ。だって、なにもできなかったから。本人のせいじゃなくて、体のせいでできなかったのに、そんなふうに受けとめていなかった。馬鹿にしているところがあった。無理解という意味では、お母さんもお父さんも私と似たようなものだったと思う。ただ命があればいいというだけの接し方。心のことまで考えてあげていなかった。いまの世の中、インターネットだのパソコン通信だの、一杯あるんだから、もっとユキちゃんを世間に触れさせてあげることはできたのに。ユキちゃんは最近、人間になろうともがいていたんだ。人間になるって、ただ息をしてご飯を食べて眠るだけじゃないもの。それを、私は見抜くことができなかったんだ、あんなにいろんなメッセージをもらっていたのに」

　息をつぐためのささやかな沈黙の間に、谷村はひっそりと言葉を割りこませる。

「きみの話を聞いていると、きみのお姉さんが極悪人に思えてくる」

直子は愕然として、谷村を見やった。谷村は悪い冗談を言っているわけではなさそうだ。心持ちうつむき加減のその顔は沈鬱そのもので、笑いのかけらもない。

「だって、あとに残された人をこんなに悩ませているんだから。お姉さんはまるできみの心を道連れにして死んだみたいだ」

「そんなこと、絶対にない」

直子はむきになって言う。

「ユキちゃんは、お母さんの高血圧を気遣って、私の体に傷がつくことを気遣って、自分の体がきつかったのに、人のことを気遣って、そして死んじゃったんだから。とてもやさしかったんだから、谷村さんなんか想像もつかないくらいやさしかったんだから」

谷村は直子の目を見つめ、直子の一言一言にうなずき、そして言う。

「うん。お姉さんは悪い人じゃないよ。僕の弟と同じくらいいいきょうだいだよ。はじめから、悪い人だなんて思っていたわけじゃない。ただ、広瀬さんがあんまり辛そうだったから、ついね。お姉さんを悪く思わせたくなかったら、もうやめなよ、そんなに苦しむの」

言ってから、痛ましそうにつぶやいた。

「と言っても、すぐには無理か」

自分の弟が自殺したら、ということを想像している気配で、谷村は口をつぐむ。

直子は深く沈黙した。

足もとから忍びよってくる冷気に気づいた。いつの間にか太陽が移動して、ベンチは日陰になっている。寒い。風邪をひくかもしれない。風邪をひいて肺炎になるかもしれない。そうなっても死にそうもないことを、直子は知っている。直子は基本的に健康だ。

「なにか温かいものが飲みたい」

と、谷村は立ち上がった。直子は座っている。寒さがもう少し足りない。幸恵は雪雲の厚く垂れこめた日、長時間コートもなく座っていたのだ。

「なんだか罰を受けているように見えるよ」

言われて、直子は立ち上がる。また幸恵の責任を問われそうだったから。

「行こう」

谷村は、直子にむかって右手をさしのべた。幸恵が羨むにちがいない、と思い、思ってから、羨むことと憎むこととは同一ではないと思い直す。両親に慈しまれる幸恵を直子はずいぶんと羨んだけれど、そこに憎しみは育たなかった。

直子はためらいを捨てて、谷村の手をつかむ。ほかりとした暖かさが指に流れこんできた。

「どうして」

「帽子に手をつっこんでいたから」

左手を谷村の暖かな手に包まれて、直子は歩きだす。直子と谷村とのほんのわずかに重なった部分で、命がとっくんとっくんと息づいている。命は指先だけでなく、心までをも暖める。

直子は、細く細く溜め息をつく。罪悪感を捨てきれない。

直子の心を読んだのだろうか、谷村は言った。

「時間が解決してくれるよ」

「ユキちゃんのこと、忘れたくない」

「忘れっこないよ。絶対に忘れないさ。それでも、いずれ痛みは薄くなる」

「それって、悲しい」

「でも、それがなければ人間はこちらがわにいつづけられない。あちらがわに行くしかなくなる。仕方がないんだ」

仕方がないんだ。言葉は谺《こだま》しつつ、心の深い谷間に落ちていく。

直子は、右手でひそかに右の腹部に触れる。ここに傷がある、ということではなく、ないということが、いつかきっと幸恵を思い出すよすがになる、そう思った。

解説

小林光恵

物語は、主人公・直子の落ち葉掃きのシーンではじまります。落ち葉処理は容易な作業ではありません。子供のころに経験がありますが、数日続けただけでうんざりしてきて、新緑や満開の花や紅葉で楽しませてくれたことなどすっかり忘れ、落ち葉をもたらした木々に腹を立て、作業を命じた親を恨めしく思ったものでした。私は数日で解放されましたが、直子は、小学五年生から十九歳の現在まで、この落ち葉掃きを毎年秋の日課にしてきました。不満に思いながらも、母への負担などを考えて無理やり自分を納得させて、投げ出さずに、彼女にとって賽《さい》の河原の石積みのような作業を続けてきたのです。

直子の落ち葉掃きを姉が自宅の窓から見物し、呑気に声をかけてきます。小学生のように無邪気に手を振っている（直子にはそう見える）姉が、もし健康体であったなら……、姉が窓から発した言葉は姉妹喧嘩の大きな火種になったことでしょう。

学生時代、女友達から姉との喧嘩話を聞き、私はとても驚きました。ちょっとした口喧嘩から髪の引っ張り合いになり、ついには二人とも刃物を持ち出したといいます。両親が仲裁に入り、喧嘩は一応終了したそうですが、仲良く外出したりする二人姉妹がそこまで過激な喧嘩をするとは意外でした。後日、そのことを別の女友達（やはり二人姉妹の妹）に特別なケースという感覚で話すと、彼女はこう返してきました。

「刃物出した時、どこか本気の部分、あったのかもね。二人姉妹って、たとえ普段仲が良くても、みんなそういうとこあるよ。利益も不利益も、等分に配分されないと嫌なの。相手と自分を頻繁に天秤《てんびん》量りにかけて、お姉ちゃんがずるいとか妹のほうがいい思いしているとかジャッジして、喧嘩したり根に持ったりするの。姉妹の宿命よ」

兄と二人兄弟の私にはわからない感覚でしたが、その後の人生経験を通して、姉妹、それも二人姉妹には、独特のライバル関係があるのだな、と思うようになりました。

直子もやはり、二人姉妹の妹として、姉の幸恵を宿命のライバルとして天秤にかけて生きてきたのです。直子には、母親のサブとして担っている家事全般や姉の世話があります。一方、お茶碗さえを洗ったことのない幸恵。いつも両親の注目を浴び、心配されている姉。ひとり、マンガを与えられ放っておかれた直子。直子が姉と自分を天秤量りにかけると、いつも一度めのジャッジは、姉の天秤皿のほうがどっしりと重く、自分のは軽すぎて簡単に宙に浮いてしまうのです。しかし、そんな結果が出ても、前述の姉妹のように姉と明るく過激な喧嘩をすることはできないことを早くに悟るのです。それで直子は、「重い病気だから仕方ない」という理由で毎回姉の天秤皿から大幅に錘《おもり》をとって軽くし、自分の皿には「健康だからできること」や白い真珠のような肌を持っているなどを錘として追加し、無理やり天秤のバランスをとってきたのです。それを小さなころから幾度となく繰り返してきたことで、姉以外にも相手と自分を量りにかけて比較してしまう癖がついてしまった彼女は、好きな男性くらいは邪念なくあこがれたいと思い、自分と同じ天秤皿には載せられないようなタイプを選びます。

　ところで、直子が、姉の幸恵をときどき子供扱いするのは、「天秤のバランスを取るために、こちらがさまざまな譲歩をしてあげているのだよ」と上から物を言いたくなる気持ちの表れなのではないでしょうか。いや、それはいじわるな見方かもしれません。思うように動けない病人に対して、その世話をしている側は病人を自然と子供扱いしてしまいがちなものなのです。病人のほうとしても、表面的にはそれを受け入れておいたほうが人間関係が楽なため、世話する人が満足するように、わざと子供ぽく振舞うこともあるようです。内心では深く傷つき、孤独を感じていてもです。

ここから先は物語の転結部分に触れていますので、本文未読の方は先に本文をお読みください。

直子一家は、なんとかこれまでそれなりのバランスをとって暮らしてきました。しかし、母親の病気入院をきっかけにバランスを崩しはじめ、その後非常に残念な事態を迎えます。物語が動く十二月から一月にかけての世間の人々は、じっとしていたら巨大な孤独に心が占領されてしまうとばかりに、忘年会、お歳暮、クリスマス、大掃除、帰省、初詣、御節、バーゲンなどこれでもかと忙しく過ごします。そんな季節の気配に、姉の幸恵は刺激された部分があったのでしょうか。少しだけ出歩いて少しだけ自由に食べた結果、幸恵は生体肝移植が必要な容体となってしまいます。

生体肝移植は、かけがえのない命を救うための貴重な医療行為であると同時に、家族のありようをいやおうなく浮き彫りにし、その後の家族関係にも大きな影響を及ぼす側面があります。それは、生体肝の提供者（ドナー）となる前提条件の中に、続柄に関する規定（日本移植学会倫理指針では、血族であれば六親等以内、姻《いん》族であれば三親等以内が原則。多くの病院では血族二親等以内〈親子・兄弟〉と姻族一親等〈配偶者〉が主流）があることが関係しています。国によってその条件には多少違いがあり、たとえば台湾では三親等以内三年間の結婚期間が必要で、イタリアではドナーになることを簡易裁判所で誓う必要があったりします。また、アメリカではストレンジャー移植と呼ばれる血縁者や知人でもない他人がドナーになるケースもあるようです。

日本では、生体肝移植が一九八九年に開始されました。当初は、おもに胆道閉鎖症の患児に両親のいずれかが提供する形で、一九九二年には劇症肝不全にも適応、一九九三年には成人間も適応範囲となり、さらに、二〇〇三年にはその手術が保険適応となり、現在は成人間移植が全体の過半数を占めています。アメリカでは脳死肝移植が多く、日本では生体肝移植が多いようです。

日本での生体肝移植件数は、一九八九年（年間一件）から二〇〇六年（年間五〇五件）までで四二九二件、一九八九年からこの小説が書かれた一九九九年（年間二五一件）までは一〇五二件です（以上、日本移植研究会の肝移植症例登録報告第二報より）。生体肝移植後のレシピエント（移植者）の一年生存率は、一九九四年（六二・二%）、二〇〇三年（八四・一%）。二〇〇三年には、ドナーの手術後の死亡も一例起きました。

以上のデータが示すとおり、生体肝移植は移植してしまえば安心というわけではなく、移植するにはうまくいかない場合も覚悟しなければなりません。患者さんやその御家族にとっては賭けのようなものでもあり、心が揺れることになります。また、心身へのリスクがないとはいえないドナーに誰がなるのかでも大きく揺れることになるのです。移植後に家族関係が悪化したり、家族の誰かが心の傷を抱えることになったりするケースがさまざまな形であるようです。

生体肝移植に取り組むある医師は、「ドナーがレシピエントの手を引っ張ってきて、〈自分がドナーになるから移植してください〉というほどの意思があるのが、生体移植における臓器提供の原点だ」といつも話しているそうです。また、移植コーディネーターのAさんによると、兄弟間で移植の検討をする際にはドナーがそれぞれ家庭の大黒柱であることが多いので、妻の気持ちを十分配慮すること、姉妹間の場合には、感情だけで移植の決断をしてしまい、手術のリスクや合併症についてあまり理解していない場合があるため、より丁寧に段階を追って移植について説明するのが対応時のポイントだそうです。それほどに、家族間トラブルが生まれやすい面があるということでしょう。

「とにもかくにも、家族間でよく話し合っていただくしかありません」とAさん。

姉の幸恵が命を絶つという、もっとも残念な事態になってしまった背景には、一家のコミュニケーションレスがあると思います。もちろん、移植に関する家族での話し合いはしたでしょう。しかし、最後まで、誰ひとりとして幸恵の胸の内にはふれないでしまったのではないでしょうか。「移植はしない」と拒否する意向はわかっても、それは彼女の結論を聞いただけのことです。直子との会話でも、幸恵はいつも結論を述べるばかりでした。

ふと、そこにいる家族（人）が、不可解な存在に見えたりするものですが、もともと家族とはコミュニケーションレスに陥りやすいものなのです。一緒に暮らすことで好きなタレントは誰か、などお互いの日常の情報はたくさん持つことになります。そのことで、わかったつもりになってしまうのです。難事が起こらなければその状態でもつつがなく暮らしていけるのでしょうが、生体肝移植のようなテーマにぶちあたると、それではすまなくなってきます。あまりにも大きなテーマを前に、どこからどう話し合ったらいいかさえわからなくなるようです。ですから、こんな一大事には移植コーディネーターなど専門家の力を借りる必要があるのです。

この作品が書かれた一九九九年当時は、現在に比べ、家族での話し合いをサポートする体制もまだ十分に整っていなかったでしょう。また、保険診療が適応されておらず、生体肝移植の手術や入院など全部で約一〇〇〇万円の費用が必要でした。

家族の中でもっとも孤独だったと思われる幸恵は、部屋の中で、何年もかけて、病気のことや人間の生命のこと、生体移植を受けた場合の費用をはじめとした現実的な問題や、将来、両親が他界した場合の状況などなど、あらゆることをひとり胸の内で考えてきたのでしょう。そして、ひとりだけで出した最後の結論を言葉ではなく、命を絶つという行動で示しました。彼女にとって、それが一番の勇気ある行動だったと思われるのがせつないです。幸恵の最後の結論とは、なんだったのか、直子と家族、そして私たち読者はこれから考えていくことになりました。

亡くなった姉の幸恵は、妹・直子にとって心の中の良きライバルになっていく予感があります。直子の心の中で、二人姉妹は髪の毛の引っ張り合いをして明るく過激な喧嘩もできるようになるかもしれません。また直子は、落ち葉掃きだって苦労に思わず、お坊さんのように粛々と作業できるようになるかもしれません。そう思えるのは、今後、谷村という男性が、直子の心に安定をもたらす存在として大きな力を発揮しそうだからです。

——作家・エッセイスト

この作品は一九九九年十月中央公論新社より刊行されたものです。

そこにいる人《ひと》

矢《や》口《ぐち》敦《あつ》子《こ》

平成21年2月10日　初版発行

発行者――見城徹
発行所――株式会社幻冬舎
〒151-0051東京都渋谷区千駄ヶ谷4-9-7
電話　03(5411)6222(営業)
　　　03(5411)6211(編集)
　　振替00120-8-767643
印刷・製本―中央精版印刷株式会社
装丁者――高橋雅之

幻冬舎文庫

ISBN978-4-344-41265-1　C0193　や-10-4